COLECCIÓN DESTREZAS ELE

COMPRENSIÓN AUDITIVA

Nivel intermedio
A2 - B1

Belén Arias García

Dirección editorial: enClave-ELE

Edición: Sara Fernández Gómiz

Diseño y maquetación: Diseño y Control Gráfico

Cubierta: Malena Castro

Fotografías: © Shutterstock, © Edit-enclave, © Santi Burgos © CD Form, S. L.; pág.7: Matej Kastelic/ Shutterstock.com; pág.8: Matej Kastelic/Shutterstock.com; pág.8: DFree/Shutterstock.com; päg.9: http://2. bp.blogspot.com/-lat1X-YQ6v4/T1fFdg8GBtl/AAAAAAAArw/EsajTDxmrJg/s1600/anciana-ganchillo.jpg; pág.10: Krzyzak/Shutterstock.com; pág. 10: http://sorianoticias.com/e-img/feria_abril_calaveron_01. jpg; pág.20: ValeStock/Shutterstock.com; pág. 42: http://www.ecestaticos.com/image/clipping/ a7167e4a1cef56b72c1bc675b66c8323/karlos-arguinano-3-5.jpg; pág.59: Sandra R. Barba/Shutterstock. com; pág.60: Aspen Photo/Shutterstock.com; pág.61: http://blog.pixmac.es/wp-content/uploads/2011/03/ CO_bandera.jpg; http://www.elbolardo.com/wp-content/uploads/sites/6/2016/01/naranjito.jpg; http:// arcdn02.mundotkm.com/2016/08/anillos-olimpicos1.jpg; pág.72:Ivankibo/Shutterstock.com; criben/ Shutterstock.com; pág. 73: http://valenciaplaza.com/public/image/2017/3/2015100516471439894_ forCrop.jpg; pág. 74: Iakov Filimonov/Shutterstock.com; pág.89: Anibal Trejo/Shutterstock.com; http:// troovel.com/pictures/274109/hd/de-plaats.jpg; EQRoy/Shutterstock.com; Giannis Papanikos/Shutterstock. com; nui7711 /Shutterstock.com

Ilustraciones: Enrique Cordero

Estudio de grabación: Crab sonido

© enClave-ELE, 2017

ISBN: 978-84-16108-91-6
Depósito legal: M-27330-2017
Impreso en España
Printed in Spain

PRESENTACIÓN

Este cuaderno va dirigido a jóvenes y adultos de nivel intermedio que deseen mejorar su comprensión auditiva en español.

Se corresponde con el nivel A2-B1 del Marco Común Europeo de Referencia para el Aprendizaje, la Enseñanza y la Evaluación de Lenguas y está concebido para unas 80 horas de clase. El cuaderno está pensado como material complementario para trabajar en el aula o en casa.

El libro consta de tres bloques, divididos en cuatro unidades, y con un común denominador: tres personajes, Sara, Martín y Laura, con los que el estudiante podrá sentirse plenamente identificado y que lo acompañarán en su recorrido en el perfeccionamiento de su destreza auditiva. Al final de cada bloque hay una unidad especial, de repaso y autoevaluación, que permite al alumno comprobar si ha asimilado correctamente los temas tratados en las cuatro unidades previas.

Con este objetivo, partiendo de un tratamiento básicamente funcional, el estudiante adquirirá progresivamente el vocabulario, las estructuras gramaticales y sintácticas necesarias para mejorar su comprensión auditiva en español.

Cada unidad está estructurada en dos partes, y cada parte, a su vez, incluye tres secciones, con actividades centradas en la audición de un amplio abanico de diálogos, conversaciones, reportajes, etc.

Asimismo, dentro de cada unidad aparecen actividades de índole diversa: trabajo individual y por parejas, que ayuda a evitar la monotonía y a crear una dinámica de trabajo en grupo más atractiva. Los ejercicios propuestos también se presentan de forma diferente y con objetivos distintos: preguntas de "opción múltiple" y de "verdadero o falso" para la comprensión detallada y "preguntas abiertas" para una comprensión general.

Al final del libro se incluye el solucionario de todas las actividades y la transcripción de las grabaciones.

El libro va acompañado de un audio descargable, que contiene la grabación de los textos que sirven de base para las actividades de comprensión auditiva.

ÍNDICE

BLOQUE 1

UNIDAD 1. ¿CÓMO SOMOS Y DE DÓNDE VENIMOS?.. 6
Objetivos

Familiarizarse con los distintos acentos del español (península Ibérica y América Latina).
Comprender y conocer algunas tradiciones hispanas.
Interactuar en conversaciones informales que hablan sobre nosotros mismos y nuestra cultura.

UNIDAD 2. ¿QUÉ TENEMOS QUE HACER HOY? 12
Objetivos

Familiarizarse con el vocabulario relacionado con las actividades cotidianas, domésticas y lúdicas.
Ampliar el conocimiento gramatical para poder expresar el contenido de estas actividades.

UNIDAD 3. ¿QUÉ HACEMOS EN NUESTRO TIEMPO LIBRE?.. 18
Objetivos

Descripción de gustos y aficiones.
Interactuar en una conversación formal.
Inscribirse en un curso.

UNIDAD 4. MI CASA ES TU CASA 24
Objetivos

Familiarizarse con situaciones de la vida cotidiana: búsqueda de un apartamento.
Comprensión de ofertas inmobiliarias.
Negociaciones.
Descripción de distintos modos de vida: vida en el campo vs. vida en la ciudad.

REPASO Y EVALUACIÓN, BLOQUE 1 32

BLOQUE 2

UNIDAD 5. ¡TODO EL MUNDO A LA MESA!... 38
Objetivos

Practicar las fórmulas de petición.
Practicar el vocabulario relacionado con el campo semántico de la comida.
Familiarizarse con la cultura culinaria española.

UNIDAD 6. ¡AY, QUÉ DOLOR!.. 44
Objetivos

Expresión del dolor.
Dar consejos.
Hablar de aspectos relacionados con la salud.

UNIDAD 7. ¡TODO EL MUNDO A TRABAJAR! 50
Objetivos

Expresión de deseos y sueños profesionales.
Elaboración de un currículo.
Preparación para una entrevista de trabajo.

UNIDAD 8. ¡A MOVERSE!... 56
Objetivos

Hablar de deportes.
Familiarizarse con el vocabulario de reglas deportivas.
Hablar de los grandes acontecimientos deportivos y de los aspectos positivos y negativos del deporte.

REPASO Y EVALUACIÓN, BLOQUE 2 62

BLOQUE 3

UNIDAD 9. ¿QUÉ MÚSICA LLEVAS EN TU MP3? 68

Objetivos

Hablar de gustos musicales.
Concertar citas para acudir a un acontecimiento musical.
Conocimiento de la música y folclore tradicional español y vocabulario perteneciente a este campo semántico.

UNIDAD 10. ¿QUÉ PONEN EN LA TELE HOY? 74

Objetivos

Familiarizarse con textos periodísticos.
Comprender fragmentos radiofónicos.
Conocer diversos formatos mediáticos.

UNIDAD 11. ¿QUÉ TAL HA IDO TODO? 80

Objetivos

Describir hechos del pasado reciente (pretérito perfecto).
Presentar hechos pasados ya terminados (pretérito indefinido).
Describir acciones habituales en el pasado (pretérito imperfecto).

UNIDAD 12. NOS VAMOS DE VIAJE. ¿VIENES? 86

Objetivos

Planear un viaje.
Disponer los preparativos de un viaje.
Desenvolverse en situaciones cotidianas durante las vacaciones.

REPASO Y EVALUACIÓN, BLOQUE 3 92

SOLUCIONES 98

TRANSCRIPCIONES 109

¿CÓMO SOMOS Y DE DÓNDE VENIMOS?

unidad 1

OBJETIVOS

- Familiarizarse con los distintos acentos del español (península Ibérica y América Latina).
- Comprender y conocer algunas tradiciones hispanas.
- Interactuar en conversaciones informales que hablan sobre nosotros mismos y nuestra cultura.

PRIMERA PARTE

A. Y tú, ¿cómo eres?

Descripción física y de carácter

Pista 1

1. Es el primer día de curso en la Facultad de Periodismo de la Universidad de Salamanca. Sara, Martín y Laura se encuentran en la cafetería. Escucha atentamente la conversación que mantienen y escribe sus nombres junto a la imagen que corresponda.

1 _____   2 _____   3 _____

2. ¿Cómo son Sara, Martín y Laura? Completa el siguiente cuadro, siempre que sea posible, con la información que acabas de escuchar.

	Sara	Martín	Laura
¿De dónde es?			
¿Por qué estudia en España?			
¿Cuántos años tiene?			
¿Por qué estudia periodismo?			
¿Qué le gusta hacer?			

GRAMÁTICA

Recuerda que, cuando hablamos de las cualidades permanentes de una persona, utilizamos el verbo **ser**; sin embargo, si hablamos de una cualidad no permanente, usamos el verbo **estar**. Por ejemplo:

- *Elena es guapa* (cualidad física permanente, es guapa por naturaleza).
- *Martín está muy elegante hoy* (cualidad no permanente, resultado de un cuidado especial en el vestido).

B. ¿Qué es típico en tu país?

Descripción de costumbres

1. **Al día siguiente, el profesor de Redacción les pide que formen un grupo de trabajo y que cada uno de ellos hable sobre las costumbres típicas de su país de origen. Escucha la conversación que mantienen Laura, Martín y Sara.**

Pista 2

VOCABULARIO

- Corrida taurina: el espectáculo en el que el torero torea al toro.
- Torero: persona que torea.
- Lidiar: torear.
- Capote: capa de color rojo con la que el torero engaña al toro.
- Picador: torero a caballo que pincha con la pica (especie de lanza) a los toros.
- Banderillero: torero que clava banderillas en el costado del toro.

2. **Responde a las siguientes preguntas relacionadas con la conversación que acabas de escuchar.**

1. ¿En qué partes de España es más popular la corrida de toros?

_____

2. ¿Cuántos toros lidian los toreros?

_____

3. ¿En cuántas partes se divide una corrida?

_____

4. ¿Qué son las "banderillas"?

_____

5. ¿Qué porcentaje de personas está en contra de las corridas en Barcelona?

_____

6. ¿Cuál es la opinión de Laura acerca de este espectáculo?

_____

3. **¿Estás a favor o en contra de las corridas de toros? Cuéntaselo a tu compañero y explica por qué.**

C. ¿Cómo es tu país?

Descripción de lugares

🎧 **1. Los padres de Sara están de vacaciones. Esta mañana Sara ha recibido una postal, pero algunas palabras no pueden leerse. Escucha la grabación y completa el texto.**

Pista 3

_____ Sara:

¡Esto es _____! Ayer estuvimos caminando por la ciudad y estamos realmente _____. Ya hemos visto muchas cosas, pero lo que más nos ha gustado ha sido la _____; es realmente impresionante.

Se nota que estamos en el norte de España, porque el tiempo no es muy _____, ya que no ha parado de _____ desde que llegamos; sin embargo, esta mañana hemos visitado la _____ y hemos dado un _____ por el casco antiguo.

Anoche cenamos en un restaurante _____ y tomamos "pulpo a feira", ¡ _____!

Bueno, hasta dentro de unos días.

Muchos besos,

Papá y mamá.

2. ¿Sabes a qué lugar se han ido de vacaciones los padres de Sara?

_____

SEGUNDA PARTE

A. Y tú, ¿cómo eres?

Descripción física y de carácter

🎧 **1. ¿Qué personajes conoces? Escucha los fragmentos y escribe las palabras que faltan. A continuación relaciona cada fotografía con el personaje correspondiente.**

Pista 4

A. Nació en Barranquilla (Colombia) el 2 de febrero de 1977. Es _____ y compuso su primera canción con tan solo _____ años. Con 13 firmó un contrato musical con la compañía discográfica Sony. _____ varios discos sin demasiado éxito, pero sus dos últimos _____: _Shakira_ y _El Dorado_, han tenido un gran éxito _____, pues no canta solo en español, sino también en _____. En su país natal, Colombia, trabaja para la fundación _Pies Descalzos_, que ayuda a niños _____ de la violencia. Físicamente, es una chica _____, tiene el pelo _____, aunque teñido,

puesto que su color natural es el _____; es morena de piel y tiene los ojos
_____; ella se considera una chica _____.

B. Nací en Alcalá de Henares un año del siglo XVI y me he convertido en el _____
español más importante del mundo gracias a mi libro: *Don Quijote de la Mancha*. Pero no
crean ustedes que la escritura ha sido mi única tarea; también he sido _____ y
participé en la _____ batalla de Lepanto, en la que, por desgracia, perdí el uso
de mi mano _____.
Físicamente, soy un hombre de mi época; aunque tengo que reconocer que ya no tengo
mucho _____, todavía conservo una hermosa _____ blanca.

C. Nació en Calzada de Calatrava en los años _____, pero ha vivido casi toda su
vida en Madrid. Es un _____ de _____ español bastante conocido en
el _____, sobre todo por algunas de sus últimas películas: *Todo sobre mi madre*
y *Hable con ella*. No solo los españoles le adoran, sino también los _____, puesto
que en los _____ años le han concedido dos Óscar. Físicamente no es nada fuera
de lo _____: está un poco _____, es moreno, aunque ya tiene algunas
_____, y tiene su atractivo.

2. Si quieres saber más sobre la vida de estos personajes, no dudes en consultar estos sitios web:

http://www.clubcultura.com/clubcine/clubcineastas/almodovar/esp/home.htm

http://www.cervantesvirtual.com/bib_autor/Cervantes/index.shtml

http://www.shakira.com/

3. Vas a escuchar la descripción de algunos vecinos del edificio Venegali. Identifícalos y escribe su nombre debajo de cada imagen.

Pista 5

4. Ahora completa el siguiente cuadro con la información escuchada.

	Mercedes	Joaquín	Alfredo	Susana	Silvia	Juan
¿Cuántos años tiene?						
¿Cómo es físicamente?						
¿Cómo es su carácter?						
¿Cuál es su trabajo?						
¿Qué hace en su tiempo libre?						

5. 👥 **Habla con tu compañero y haz una descripción de ti mismo y de lo que te gusta hacer en tu tiempo libre. Él te hará preguntas.**

B. ¿Qué es típico en tu país?

Descripción de costumbres

1. **¿Qué sabes de la cultura española? Responde al siguiente cuestionario acerca de los estereotipos sobre los españoles.**

1. Los españoles comen tapas cada día.

a) No, solo las comen los fines de semana.

b) Sí, los españoles van de tapas todos los días.

c) Los españoles comen tapas unas tres veces por semana.

2. Todos los españoles duermen la siesta.

a) No, pero se duerme especialmente en el sur.

b) Sí, es tradición española dormir la siesta al menos tres veces por semana.

c) No, pero se duerme especialmente en el norte.

3. Las sevillanas se bailan en toda la península.

a) Sí, es un baile típicamente español y popular en toda España.

b) No, solo es tradicional en Andalucía.

c) No, solo se baila en el norte.

4. En España solo se habla español.

a) No, hay otros tres idiomas oficiales: el gallego, el vasco y el catalán.

b) Sí, es el único idioma oficial de España.

c) No, hay solo otro idioma oficial: el catalán.

🎧 Pista 6 2. **Ahora escucha la conversación que mantiene María, una chica española, con su amigo Roberto, peruano. Contrasta esta información con tus respuestas del ejercicio anterior.**

3. **En grupos, contad a los compañeros cuáles son las costumbres de vuestro país de origen (comida, bailes tradicionales, música, bebidas...).**

C. ¿Cómo es tu país?

Descripción de lugares

1. **Julia es guía turística. Escucha la descripción que hace de una ciudad española y di si son verdaderas (V) o falsas (F) las siguientes afirmaciones.**

ista 7

En esta ciudad...

1. viven más de dos millones de personas. ____

2. usted podrá ver el palacio Gaudí. ____

3. podrá visitar el museo del Prado. ____

4. no hay parques. ____

5. si quiere tomarse unas tapas, vaya a la Puerta de Alcalá. ____

2. **¿Sabes de qué ciudad está hablando Julia? ¿Por qué crees que es esa ciudad?**

_____

_____

_____

_____

_____

_____

_____

_____

_____

Si quieres saber más sobre esta ciudad, no dudes en consultar el siguiente sitio web: http://es.wikipedia.org/wiki/Madrid

3. **Conociendo el norte de España**

Elige una de las siguientes direcciones electrónicas y escribe un folleto informativo que describa una región del norte de España.

http://www.turgalicia.es/recomendacions/recomend.asp?cidi=e
http://www.principadodeasturias.com
http://www.destinospaisvasco.com/home.php
http://www.lariojaturismo.com
http://www.gencat.net/turistex_nou/home_cast.htm

4. 👥 **Habla con tu compañero y describe con detalle cómo es tu ciudad de origen.**

¿QUÉ TENEMOS QUE HACER HOY?

unidad 2

OBJETIVOS

- Familiarizarse con el vocabulario relacionado con las actividades cotidianas, domésticas y lúdicas.
- Ampliar el conocimiento gramatical para poder expresar el contenido de estas actividades.

PRIMERA PARTE ▼

A. ¿Qué tienes que hacer hoy?

Descripción de actividades cotidianas

Pista 8

1. Hoy es lunes. Sara, Martín y Laura se encuentran en la cafetería de la facultad y hablan de lo que tienen que hacer. Escucha la conversación y responde si son verdaderas (V) o falsas (F) las siguientes afirmaciones.

1. Sara tiene un día muy relajado. ____

2. De nueve a una Sara tiene que ir a la clase de redacción. ____

3. Este fin de semana Sara ha ido a visitar a su tía. ____

4. Después de llevar a su tía a la estación, Sara tiene que fregar los platos. ____

5. Sara debe trabajar en el bar hasta las diez. ____

VOCABULARIO

- Tener un día la mar de atareado: tener un día muy ocupado.
- ¡Qué va!: ¡Claro que no!
- Fiesta de paso de ecuador: fiesta que se celebra cuando has terminado la mitad de tu carrera universitaria.

2. Lee el texto de la conversación en el apartado de las transcripciones, al final del libro, y trata de deducir el significado de las siguientes actividades.

Trabajar _____

Hacer la compra _____

Preparar la comida _____

Fregar _____

Estudiar _____

Leer _____

Quedar con alguien _____

Existen en español dos construcciones que sirven para expresar obligación:

- **Tener** + **que** + infinitivo: *Mañana **tengo que** estudiar español.*
- **Deber** + infinitivo: ***Debes** leer el libro lo antes posible.*

B. Hoy te toca fregar a ti

Descripción de actividades domésticas

1. Martín comparte piso con dos compañeros, David e Iván. Aunque se llevan bien, a veces tienen pequeños problemas con el reparto de las tareas domésticas. Escucha la conversación que mantienen y elige la respuesta correcta.

Pista 9

1. Martín odia...
   a) fregar los platos.
   b) pasar la aspiradora.
   c) poner la mesa.
2. Cada jueves David...
   a) ordena el armario y hace la comida.
   b) limpia el baño y quita el polvo.
   c) hace la cama y sacude las alfombras.
3. Martín propone...
   a) que cada semana cada uno limpie toda la casa.
   b) que cada uno limpie lo suyo.
   c) repartirse las tareas y que cada semana hagan un trabajo diferente.
4. La limpieza de la cocina supone, entre otras cosas ...
   a) fregar los platos, poner la mesa y quitar el polvo.
   b) fregar los platos, poner y recoger la mesa y pasarle un trapo a la encimera.
   c) pasar la aspiradora, limpiar el fregadero y secar la mesa.

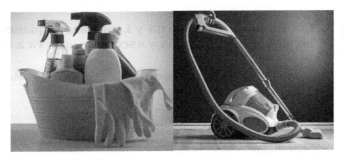

5. La limpieza del baño incluye, entre otras cosas, ...
   a) pasar la aspiradora y recoger las toallas sucias.
   b) limpiar la taza del váter, la bañera y el bidé y pasar la fregona.
   c) quitar el polvo y recoger los cepillos de dientes.

6. La persona que limpie el salón tendrá que...
   a) quitar el polvo, ordenar las estanterías y pasar la aspiradora.
   b) sacudir las alfombras y pasar la aspiradora.
   c) quitar el polvo, recoger la mesa y ordenar las estanterías.

7. Al final...
   a) todos están de acuerdo con el nuevo reparto de las tareas.
   b) van a discutirlo más tarde.
   c) están completamente en desacuerdo.

Pista 9 **2. Escucha de nuevo la conversación de los tres chicos e intenta completar el siguiente cuadro.**

Tarea doméstica	Parte de la casa en la que se realiza	Utensilios que utilizamos
Quitar el polvo		
Pasar la aspiradora		
Fregar los platos		
Barrer		
Pasar la fregona		
Limpiar el lavabo		

GRAMÁTICA

- ¡Cuidado! El verbo *fregar* es irregular: *friego, friegas, friega, fregamos, fregáis, friegan.*

C. ¿Qué te apetece hacer este fin de semana?

Descripción de actividades lúdicas

Pista 10 **1. Es viernes y Sara, Martín y Laura hacen planes para el fin de semana. Escucha la siguiente conversación y escribe lo que va a hacer cada uno de ellos.**

	Sara	Martín	Laura
El viernes			
El sábado			
El domingo			

2. **Escucha de nuevo la conversación y haz una oración con cada una de las sigu** **actividades.**

Ir a ver una película _____

Cenar en un restaurante _____

Ir a tomar unas copas _____

Bailar _____

Salir a tomar unas cañas _____

Comer _____

Jugar un partido _____

Dar un paseo _____

Ir a una exposición _____

Dar una vuelta _____

Tomar unas tapas _____

> Existe en español una perífrasis que sirve para expresar acciones que se han planificado para el futuro: *ir* + *a* + infinitivo:
>
> - *Este fin de semana **voy a salir** con mis amigos.*

GRAMÁTICA

SEGUNDA PARTE

▼ A. ¿Qué tienes que hacer hoy?

Descripción de actividades cotidianas

1. **Estas tres personas son muy distintas y tienen una rutina diaria diferente. Escucha lo que dicen, rellena la tabla, siempre que sea posible, e identifica a cada persona con su fotografía correspondiente.**

Nombre	Profesión	Edad	Hora de levantarse	Hora a la que empieza a trabajar	Hora a la que termina de trabajar	Hora a la que se acuesta

2. En estos tres fragmentos se utiliza con frecuencia el verbo soler. Escúchalos de nuevo y escribe el significado del mismo.

Pista 11

Soler significa _____

3. Ahora cuéntale a tu compañero lo que haces un lunes normal, desde que te levantas hasta que te acuestas.

GRAMÁTICA

- ¡Cuidado! El verbo *soler* es irregular: *suelo, sueles, suele, solemos, soléis, suelen.*

B. Hoy te toca fregar a ti

Descripción de actividades domésticas

1. Mari Carmen es ama de casa. Escucha lo que hace un día normal y marca en la siguiente lista las actividades que realiza.
A continuación explica a tu compañero en qué consisten esas tareas.

Pista 12

Mari Carmen tiene que...

- ☐ lavar el coche.
- ☐ sacudir las alfombras.
- ☐ fregar los platos.
- ☐ tender la ropa.
- ☐ hacer las camas.

- ☐ quitar el polvo.
- ☐ poner la mesa.
- ☐ hacer la comida.
- ☐ ordenar los armarios.
- ☐ planchar.

2. Escucha el fragmento de nuevo. ¿Qué otras tareas realiza Mari Carmen a lo largo del día?

Pista 12

_____

_____

_____

3. 👥 **Habla con tu compañero. ¿Te gusta hacer las tareas domésticas? En tu casa, ¿tus padres te mandaban realizar algunas tareas? ¿Cuáles?**

C. ¿Qué te apetece hacer estas vacaciones?

Descripción de actividades lúdicas

🎧 1. **Escucha la conversación y escribe lo que hacía Javier durante sus vacaciones en Perú.**

Pista 13

_____

_____

_____

_____

2. **Clasifica las siguientes actividades según sean diarias, lúdicas o domésticas.**

Actividades	Diarias	Lúdicas	Domésticas
Cocinar			
Leer el periódico			
Pasear			
Ducharse			
Quitar el polvo			
Ir al cine			
Escuchar música			
Afeitarse			
Hacer la cama			
Pintar un cuadro			
Hacer la compra			
Levantarse			
Fregar los platos			
Leer un libro			
Peinarse			

3. 👥 **Habla con tu compañero y cuéntale qué sueles hacer en tu tiempo libre.**

¿QUÉ HACEMOS EN NUESTRO TIEMPO LIBRE?

unidad **3**

OBJETIVOS

- Descripción de gustos y aficiones.
- Interactuar en una conversación formal.
- Inscribirse en un curso.

PRIMERA PARTE

A. ¿Cuándo quedamos?

Descripción de gustos y aficiones

1. Después de tantas clases, Sara, Martín y Laura están agotados y deciden hacer algo relajante y divertido. Escucha la conversación que mantienen y responde a las siguientes preguntas.

Pista 14

1. ¿Qué actividad propone hacer Laura? _____

2. ¿Cuál es la actividad escogida por Sara? _____

3. ¿Qué decide hacer Martín? _____

4. ¿Qué deciden hacer finalmente? _____

5. ¿A qué hora quedan? _____

6. ¿Dónde quedan? _____

2. Escucha de nuevo la conversación e intenta completarla con las palabras que faltan.

Pista 14

L: ¡Hola, chicos! ¿Qué tal?

M: Bien, ¿y tú? ¿Cómo andas?

L: Bastante bien, aunque algo agobiada por culpa de los exámenes.

S: _____ que deberíamos hacer algo divertido para olvidarnos durante un rato de todo el estrés y la preocupación.

M: Me **parece** que Sara tiene razón. ¿Qué os gustaría hacer?

L: A mí me **encanta** ir al cine. Las películas que más me gustan son las francesas. ¿Os **gusta** ir al cine?

S: A mí no mucho; además, esta tarde no _____ ir ¿Qué _____ si vamos a ver la exposición de Dalí al Museo de Arte Contemporáneo?

M: Sara y su arte; yo creo que paso. Me han dicho que esta tarde en el Teatro Principal representan la obra de Lorca *Bodas de sangre.* ¿No _____ ir?

L: ¿Por qué no? A mí lo del teatro me parece una buena idea.

S: Por mí, ¡vale! ¿A qué hora _____?

M: Si queréis, podemos quedar a las cinco y media; la obra no empieza hasta las seis.

L: Bien, y... ¿dónde _____?

S: Creo que sería buena idea quedar delante del Teatro Principal; enfrente hay una cafetería y podemos tomarnos algo antes de entrar a ver la representación. ¿Os _____?

M: Por mí, perfecto. Entonces, a las cinco y media delante del Teatro Principal, y... Sara, procura ser _____.

S: Vale, vale, a las cinco y media en el Principal, allí estaré. Hasta entonces.

L: Hasta después.

M: Chao.

3. A continuación fíjate en los verbos que están en negrita. Lee la información del cuadro de gramática y haz una oración con cada uno de ellos.

_____

_____

_____

Hay en español una serie de verbos que poseen una conjugación especial. Son, entre otros:

- **Gustar**: (me, te, le, nos, os, les) gusta o gustan.
- **Parecer**: (me, te, le, nos, os, les) parece o parecen.
- **Encantar**: (me, te, le, nos, os, les) encanta o encantan.

Los verbos **gustar**, **parecer** y **encantar** se conjugan con pronombres diferentes. Además, se usan solamente con dos personas: la 3.ª persona del singular (gusta/parece/encanta) y la 3.ª persona del plural (gustan/parecen/encantan).

La utilización de una u otra forma depende del número del sujeto, que normalmente va detrás del verbo, aunque también puede ir delante; esta última opción es menos frecuente.

- Nos gusta el chocolate (en este caso la forma correcta es gusta, porque chocolate es singular).
- Me gustan los gatos (en este caso la forma correcta es gustan, porque los gatos es plural).
- Les gusta bailar (en este caso la forma correcta es gusta, porque le sigue un infinitivo).

Del mismo modo que estos verbos funcionan algunos otros, como: **doler**, **apetecer**, **pasar** (ocurrir) y **quedar** (sentar).

GRAMÁTICA

4. En la conversación aparece la expresión ¿Cómo andas?. ¿Sabes lo que significa? Intenta buscar una expresión equivalente en español.

_____

_____

B. En el Teatro Principal

Interactuar en una conversación formal

1. Escucha la conversación y di si son verdaderas (V) o falsas (F) las siguientes afirmaciones.

Pista 15

1. Sara llega tarde porque ha perdido el autobús de las cinco. _____

2. La función empieza a las cinco y media. _____

3. Martín compra entradas para el gallinero, porque son las más baratas. _____

4. Martín paga cinco euros por cada entrada. _____

2. Lee la transcripción de la conversación en la página 111 y escoge el significado correcto de la expresión: *para colmo de males.*

a) para empeorar la situación.

b) para mejorar la situación.

c) para cambiar la situación.

C) ¡Vamos a hacer deporte!

Inscribirse en un curso

1. Laura siempre ha tenido problemas de espalda. El médico le ha recomendado hacer natación y Laura decide inscribirse en un gimnasio. Escucha la conversación telefónica que mantiene con la secretaria del gimnasio y completa el siguiente cuadro.

Pista 16

Tipo de curso	Días	Horario	Precio	Descuento
Perfeccionamiento				
Terapéutico				
Básico				

A. ¿Cuándo quedamos?

Descripción de gustos y aficiones

1. **Javier Salvador es el presentador de un programa radiofónico dirigido a personas que buscan pareja. Sus oyentes escriben al programa con la ilusión de encontrar a su media naranja. Escucha el siguiente mensaje y completa las siguientes frases.**

ista 17

1. Roberto tiene _____ años.

2. Roberto es _____ en la Cruz Roja.

3. En su tiempo libre a Roberto le gusta _____ de detectives y _____ de Asterix.

4. También le gusta _____ (sus películas favoritas son las de _____), caminar por el parque, _____ la guitarra y escuchar la radio.

5. Él odia hacer la colada, _____ y hacer deporte.

2. **¿Te ha gustado el mensaje de Roberto? Escríbele una respuesta concertando una cita.**

_____

_____

_____

3. **Representa con tu compañero.**

a) Consulta la siguiente página web: http://es.movies.yahoo.com/cartelera-cine/

b) Escoge una localidad y a continuación una película a la que te gustaría asistir. Invita a tu compañero para que vaya a verla contigo.

c) Aquí tienes algunas expresiones que te pueden ser útiles:

¿Te apetece + (infinitivo)? / ¿Tienes ganas de + (infinitivo)? / ¿Te gustaría + (infinitivo)?

No/Sí me apetece. / No/Sí tengo ganas. / No/Sí me gustaría.

¿Quedamos en + (lugar)?

Vale. / De acuerdo. / No, mejor quedamos en otro sitio.

¿Quedamos a las + (hora)?

Vale. / De acuerdo. / No, mejor un poco más tarde/temprano.

B. En el Teatro Principal

Interactuar en una conversación formal

🎧 **1. Vas a escuchar dos conversaciones. Una de ellas pertenece al registro formal y la otra es informal. Relaciona cada una de ellas con su dibujo correspondiente y justifica tu respuesta.**

Pista 18

_____

_____

_____

_____

2. 👥 Representa con tu compañero.

a) Escoge un lugar de trabajo de la siguiente lista.

Empleado en una estación de tren.

Empleado en la taquilla de un cine.

Empleado en un bar.

Empleado en una oficina de turismo.

Empleado de una conserjería.

b) Tu compañero será tu cliente. Intenta informarle acerca de todo lo que te pregunte. Después, intercambiad los papeles.

C) ¡Vamos a hacer deporte!

Inscribirse en un curso

🎧 **1. Escucha la siguiente conversación entre María y la secretaria del centro cultural _Sociedad de León_ e intenta completar el siguiente formulario.**

Pista 19

Sociedad de León
Inscripción

Nombre _____

Apellidos _____

Edad _____

DNI (Documento Nacional de Identidad) _____

Curso _____

Día del curso _____   Hora _____

Forma de pago: Con tarjeta ☐   En efectivo ☐

Firma del solicitante

2. Consulta la siguiente página web y responde a las preguntas.

http://www.ccgsm.gov.ar/template_seccion_cyt.php?id_area=3&mes=&anio=2007

1. ¿Cuántos tipos de cursos diferentes ofrece este centro cultural?

_____

2. ¿Cuántos cursos de danza hay? Menciona, al menos, tres de ellos.

_____

3. ¿Hay cursos de teatro para niños? ¿Qué día y a qué hora?

_____

3. Escribe un correo electrónico al centro cultural pidiendo información para inscribirte en alguno de los cursos.

_____

_____

_____

4. 👥 **Responde a las siguientes preguntas con ayuda de tu compañero.**

1. ¿Crees que los españoles tienen demasiado tiempo libre?

_____

2. ¿Tienen los españoles más tiempo libre que la gente de tu país?

_____

3. ¿Qué hace la gente de tu país en su tiempo libre?

_____

4. ¿Es importante para ti tener tiempo libre?

_____

MI CASA ES TU CASA

OBJETIVOS

- Familiarizarse con situaciones de la vida cotidiana: búsqueda de un apartamento.
- Comprensión de ofertas inmobiliarias.
- Negociaciones.
- Descripción de distintos modos de vida: vida en el campo vs. vida en la ciudad.

PRIMERA PARTE

A. ¿Cómo es tu casa?

Buscando una nueva vivienda

Pista 20

1. Sara, Laura y Martín se encuentran en la cafetería de la facultad. Martín parece muy enfadado. Escucha la conversación que mantiene con sus dos amigas y contesta a las siguientes preguntas.

1. Martín está enfadado, ¿por qué?

_____

_____

2. ¿Qué consejos le da Laura? ¿Y Sara?

_____

_____

3. ¿Cómo se siente Martín al final de la conversación?

_____

_____

2. Dos días más tarde, Martín vuelve a encontrarse con Laura y Sara. Escucha la conversación que mantienen y complétala con las palabras que faltan.

Sara: Martín, vaya cara que traes; ¿qué te ha pasado?

Martín: Pues... nada, que llevo buscando _____ durante dos días y no he encontrado nada que me guste realmente.

Laura: Quizás seas demasiado exigente. ¡A ver, cuéntanos! ¿Cómo es tu piso ideal?

Martín: Bueno, la verdad es que me gustaría tener un piso _____ que tuviera terraza o... ¡al menos, un pequeño _____!

Sara: Eso no creo que sea un problema, Salamanca está llena de _____ con balcones.

Martín: Además, me gustaría que tuviese una cocina grande y _____, con lavadora, _____ y nevera. Un salón acogedor y completamente _____, un dormitorio _____ con armario y un _____ con bañera.

Laura: Creo, Martín, que pides demasiado: piso céntrico, con balcón, bañera, amueblado... ¿Cuánto estás dispuesto a _____ por todo eso?

Martín: No más de 350 euros _____.

Sara: En ese caso, pienso que tendrás que _____ tus expectativas y buscarte algo más simple.

Martín: Quizás tengáis razón...

B. Buscando casa

Comprensión de anuncios

1. Martín decide seguir el consejo de Sara y Laura y empieza a buscar piso. Escucha atentamente lo que ha encontrado y elige la respuesta correcta.

1. El piso del primer anuncio...
a) tiene 60 metros cuadrados.
b) tiene una cocina pequeña pero totalmente equipada.
c) cuesta 350 euros al mes, todo incluido.

2. El piso del segundo anuncio:
a) está en el centro de Salamanca.
b) tiene un gran salón, cocina, dos baños, un dormitorio y una despensa.
c) si está interesado, deberá llamar al 986542422.

3. El piso del tercer anuncio:
a) es compartido con dos estudiantes de Filosofía.
b) tiene tres dormitorios amplios y luminosos.
c) tiene la terraza en la parte delantera de la casa.

4. El piso del cuarto anuncio:
a) es de lujo, pero no tiene jardín.
b) tiene 120 metros cuadrados.
c) si está interesado, debe llamar a la inmobiliaria *La Rosa*.

2. ¿Qué piso crees que es el más adecuado para Martín? ¿Por qué?

_____

_____

C ¡Me lo quedo!

Negociaciones

1. Martín decide ir a ver el piso del primer anuncio y concierta una entrevista con el casero. Escucha atentamente la conversación que mantienen y responde a las siguientes preguntas.

Pista 23

1. ¿Qué único problema tiene el piso, según Martín?

_____

_____

2. ¿Cómo se soluciona el problema con el casero?

_____

_____

3. ¿Cuál es el precio final por el alquiler del piso?

_____

_____

2. En la parte final de la conversación Martín y el casero negocian el precio. ¿Conoces el verbo español que sirve para denominar la acción de negociar el precio definitivo?

_____

3. Martín lleva casi un mes viviendo en su nueva casa y no parece estar muy contento. Lee la carta que ha escrito al dueño del piso e intenta completarla con las palabras del recuadro.

molestias – gracias – problemas
– insoportable – desperfectos
profesional – caliente – estimado/-a
– cierra – cordial
resueltos – consideren – funciona
– reparar – alquilé

Salamanca, 27 de enero de 2017

_____ señor/-a:

El pasado uno de enero _____ uno de sus pisos en la calle Tarragona, número 5. Trascurrido un mes, he encontrado algunos _____ que me gustaría que fuesen _____.
El radiador del salón no _____ y, en estos fríos días de invierno, tengo que decirles que es realmente necesario; además, desde hace dos días no tengo agua _____ y podrán imaginarse las _____ que eso me causa. Por último, la ventana del dormitorio no _____ bien, por lo que el frío durante la noche es casi _____.

Les ruego que _____ mi situación y envíen cuanto antes a un _____ que se encargue de _____ todos estos _____.

Muchas _____

Reciban un _____ saludo,

Martín Valderrama Navarro

SEGUNDA PARTE

A. ¿Cómo es tu casa?

Descripción de distintos modos de vida

Pista 24

1. **Ester y Javier son compañeros de trabajo. En la actualidad ambos viven en Sevilla, pero Ester es de un pueblo cercano. Escucha la conversación que mantienen y complétala con las palabras que faltan.**

Javier: ¡Hola, Ester! ¿Qué tal el fin de semana en el _____?

Ester: Pues... ¡muy bien! La verdad es que necesitaba un poco de _____.

Javier: Tú no eres _____ de Sevilla, ¿verdad?

Ester: No, he nacido en Alora, un pueblo muy _____ cerca de Málaga.

Javier: Y... ¡cuéntame! ¿Cómo es la vida en Alora?

Ester: Pues... me imagino que como en todos los pueblos pequeños, la vida transcurre _____ y la gente se conoce _____.

Javier: Pero... ¿te gusta?

Ester: Bueno..., tiene sus cosas _____ y negativas. Me encanta poder hablar con la gente cuando voy a la _____ a comprar fruta y pescado; también me gusta poder _____ con tranquilidad y tomarme una caña en la terraza de un bar.

Javier: Pero creo que es un poco _____, ¿no?

Ester: El problema fundamental es que _____ del coche para todo. En Alora no hay cine, teatro o _____ y, si quieres salir, tienes que irte a Málaga, y eso es siempre un poco _____.

Javier: He oído que en los pueblos a la gente le gusta mucho _____ sobre los demás, ¿es eso cierto?

Ester: Bueno, la verdad es que, a veces, la gente mete las narices en lo que no le interesa, pero también es cierto que si tienes un problema la gente _____ ayudarte en todo lo que puede.

Javier: Pero... ¿dónde prefieres vivir, en el _____ o en la ciudad?

Ester: Ahora estoy muy contenta en Sevilla; las posibilidades de _____ son muchas, por ejemplo, puedes ir a _____ al parque, ver una película en el cine o _____ en alguna actividad; creo que vivir en una ciudad te da más _____ y posibilidades, pero también te puede hacer sentir muy sola.

2. **Contesta a las siguientes preguntas referidas a la conversación que acabas de escuchar.**

   1. Según Ester, ¿cuáles son los aspectos positivos y negativos de vivir en un pueblo?

   _____

_____

_____

2. ¿Qué opina Ester acerca de los típicos cotilleos de la vida de pueblo?

_____

_____

_____

3. ¿Está Ester contenta con su nueva vida en la ciudad? ¿Por qué?

_____

_____

_____

3. 👥 **Habla con tu compañero.**

1. ¿Dónde has nacido? ¿En un pueblo o en una ciudad?

2. ¿Qué opinas de la vida en el pueblo? ¿Y de la vida en la ciudad?

3. ¿Dónde crees que te gustaría vivir? ¿Por qué?

B. Buscando casa

Comprensión de anuncios

Pista 25

1. **Escucha la descripción que hace Berta de su casa ideal y toma notas de las características del piso en el que le gustaría vivir.**

2. **Consulta la página web: http://www.easypiso. com/ y haz las siguientes actividades.**

2.1. Búscale un piso a Berta que se adapte a su descripción. Justifica tu elección.

_____

_____

_____

_____

2.2. ¿Hay otros pisos que se adapten a las exigencias de Berta? ¿Cuáles?

_____

_____

_____

_____

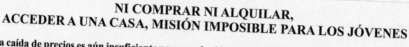

NI COMPRAR NI ALQUILAR, ACCEDER A UNA CASA, MISIÓN IMPOSIBLE PARA LOS JÓVENES

La caída de precios es aún insuficiente para que los jóvenes españoles puedan plantearse comprar una casa. Pero, además, su acceso a una vivienda digna en alquiler también se ha complicado.

Acceder a una vivienda resulta una quimera para buena parte de los jóvenes españoles. No importa si el deseo es comprar casa o vivir de alquiler. Ninguna de estas opciones es viable desde el punto de vista económico ni para jóvenes asalariados ni para los hogares jóvenes compuestos por menores de 30 años, tal y como se desprende del último Observatorio de Emancipación elaborado por el Consejo de la Juventud.

La caída de precios registrada desde los máximos no es aún suficiente para que los jóvenes españoles puedan plantearse comprar una casa. Pero, además, el arrendamiento también se ha complicado puesto que en el último año los precios en el mercado del alquiler han aumentado un 6 %.

Todo esto tiene un impacto directo sobre la emancipación de los jóvenes. Apenas dos de cada 10 menores de 30 años se marcha del domicilio paterno. O lo que es lo mismo, el 80 % habita con sus padres. "El 21,5 % de las personas menores de 30 años ha logrado emanciparse en nuestro país, lo que pone de manifiesto la frágil situación de los jóvenes en el mercado laboral y las duras condiciones del mercado de la vivienda, que resultan inaccesibles para el nivel adquisitivo de la mayoría de las personas jóvenes", señalan desde el Consejo de la Juventud.

Las dificultades para acceder a un trabajo y la baja remuneración cuando lo encuentran son dos de los factores que están detrás de esta situación. Respecto al empleo, el informe destaca que la tasa de paro de las personas menores de 25 años alcanza el 51,4 %; en el tramo de entre 25 y 29 años, supera el 30 %, y entre 30 y 34 años, más del 24 %.

Noticia adaptada a partir de: http://www.elconfidencial.com/vivienda/2016-01-05/
ni-comprar-ni-alquilar-acceder-a-una-casa-mision-imposible-para-los-jovenes_1130325/

3.1. Intenta deducir el significado de las palabras subrayadas y une cada una con el sinónimo que le corresponda.

quimera   sueldo

asalariados   vive

arrendamiento   independización

emancipación   casa

domicilio   alquiler

habita   trabajadores

remuneración   sueño

3.2. Busca información al respecto sobre los jóvenes de tu país y compara los resultados con lo que se menciona en este artículo.

_____

_____

3. Lee el siguiente artículo y haz las actividades de abajo.

4. 👥 **Necesitas encontrar un compañero de piso rápidamente. Un amigo parece interesado, pero te hace muchas preguntas acerca del apartamento. Responde a todas ellas e intenta resaltar lo bueno de tu piso y ocultar lo malo, pero... ¡no puedes mentir!**

Aquí tienes un ejemplo:

Tu piso está a las afueras de Málaga; es demasiado pequeño, pero tiene una cocina bastante amplia, aunque sin lavadora, dos dormitorios que dan a un patio de luces, un baño y un salón. Sin amueblar. 375 euros al mes, todo incluido.

– ¿Está el piso en un lugar céntrico?

– Bueno..., en el centro, centro, no está, pero hay una estupenda conexión de autobuses.

–¿Tiene lavadora?

– No, pero a escasos 100 metros hay una lavandería muy barata.

–¿Mi habitación es luminosa?

– La verdad es que la ventana da a un patio de luces, pero eso la convierte en una habitación muy tranquila.

Vives en un sexto piso, de 40 metros cuadrados, a las afueras de Madrid. No tiene ascensor y está sin amueblar. La cocina es amplia; tiene dos dormitorios pequeños y un baño. No tiene salón. El precio es de 450 euros al mes, más gastos.

–¿Es grande?

–¿Tiene ascensor?

–¿Cuánto es el alquiler?

–¿Está todo incluido en el precio?

–¿Está amueblado?

–¿Tiene salón?

...

C. ¡Me lo quedo!

Negociaciones

🎧 **1. Escucha atentamente la conversación entre Lucas y su casero y responde a las siguientes preguntas.**

Pista 26

    1. ¿De qué dos averías se queja Lucas?

    2. ¿Por qué es especialmente importante el arreglo de la primera avería?

    3. ¿Qué le dice el casero con respecto a la segunda avería?

2. 👥 **Habla con tu compañero y contesta a las siguientes preguntas.**

    1. ¿Has tenido problemas con tu casero alguna vez? ¿Qué tipo de problemas?

    2. ¿Cómo son tus vecinos? ¿Has tenido quejas sobre ellos?

    3. ¿Vives solo o compartes piso con otros estudiantes? ¿Cómo son? ¿Tienes una buena relación con ellos?

REPASO Y EVALUACIÓN

UNIDAD 1
¿CÓMO SOMOS Y DE DÓNDE VENIMOS?

A la agencia matrimonial *Tu media naranja* han llegado seis correos electrónicos de unas personas: tres mujeres y tres hombres que están buscando pareja.

🎧 **1.** Escucha atentamente las seis descripciones y escribe debajo de cada imagen el nombre de la persona representada.
Pista 27

Ellas

_____ _____ _____

Ellos

_____ _____ _____

🎧 **2.** ¿Has entendido bien cómo son estos candidatos? Escucha de nuevo las descripciones y une a cada persona con sus características correspondientes
Pista 27

Nombres	Características	
1. Andrea	a) abierto/-a	g) casero/-a
2. Catalina	b) exigente	h) divertido/-a
3. Alejandra	c) reservado/-a	i) educado/-a
4. Nicolás	d) hablador/-a	j) sencillo/-a
5. Javier	e) independiente	k) perfeccionista
6. Rodrigo	f) ambicioso/-a	l) extrovertido/-a

3. ¿Qué les gusta hacer a nuestros candidatos en su tiempo libre? Marca la respuesta correcta.

1. Andrea en su tiempo libre...
   a. lee novelas románticas, escucha música y va al zoo.
   b. escucha música, pasea a su perro y va al cine.
   c. va al zoo, sale de copas con amigos y nada.

2. A Catalina le gustan...
   a. las conversaciones tranquilas y la música clásica.
   b. las veladas románticas y pasear por la playa.
   c. las veladas tranquilas y las conversaciones ante una buena cena.

3. Alejandra en su tiempo libre...
   a. va al cine, sale de copas con amigos y va a galerías de arte.
   b. va al teatro, sale de copas con amigos y va a galerías de arte.
   c. sale de copas con amigos, va a museos y lee cómics.

4. Una de las grandes aficiones de Nicolás es...
   a. cocinar; su especialidad es el ceviche.
   b. pasear; le encanta el parque del Retiro.
   c. ir a recoger setas; le encanta la naturaleza.

5. Javier en su poco tiempo libre...
   a. sale de copas, va al teatro y visita a su familia.
   b. va a dar un paseo, ve películas y lee el periódico.
   c. va a museos, sale de copas y ve películas.

6. A Rodrigo en su tiempo libre le gusta...
   a. pasear, leer cómics y ver la televisión.
   b. pasear a su perro Chucho, irse de juerga con sus colegas y leer cómics.
   c. ir al cine, leer revistas de deportes y jugar al fútbol.

4. Ahora que ya conoces bastante bien a estas seis personas, intenta emparejarlas y argumenta el porqué de tu elección.

UNIDAD 2
¿QUÉ TENEMOS QUE HACER HOY?

🎧 **Alberto, Cristina y David son tres personas muy diferentes y esto se refleja en su vida diaria. Escucha la conversación que mantienen y realiza las siguientes actividades.**
Pista 28

1. ¿Quién es quién? Escribe debajo de cada dibujo el nombre de cada una de estas personas.

REPASO Y EVALUACIÓN

2. ¿Has entendido bien lo que hacen estas tres personas en su vida diaria? Si es así, podrás responder correctamente a las siguientes cuestiones.

1. ¿A qué se dedica Alberto?

_____

2. ¿Qué profesión tiene Cristina?

_____

3. ¿Qué hace David?

_____

3. Escucha de nuevo la conversación y une cada persona con sus actividades diarias correspondientes.

Pista 28

Persona	Actividad
	a) Ordeñar las vacas.
	b) Recibir a pacientes.
	c) Instalar lámparas.
1. Alberto	d) Repasar diagnósticos.
	e) Segar la hierba.
2. Cristina	f) Arreglar enchufes.
	g) Dar de comer a las gallinas.
3. David	h) Atender a pacientes en horas de guardia.
	i) Recoger verduras y fruta.
	j) Arreglar papeles.
	k) Conectar teléfonos.

4. ¿Tienes claro quién hace qué? Completa el siguiente cuadro.

Quién...	Alberto	Cristina	David
¿Duerme la siesta?			
¿Va en furgoneta a trabajar?			
¿Trabaja en un policlínico?			
¿Suele comer a la una?			
¿Tiene que hacer guardias?			
¿Se levanta más temprano?			
¿No tiene horario fijo?			
¿No tiene tiempo para aburrirse?			
¿Hace chapuzas?			

5. ¿Conoces el significado de todas las palabras que aparecen en la conversación? Escúchala de nuevo y haz una oración con cada una de las siguientes palabras.

Pista 28

Cristina

1. Ordeñar: _____

2. Pastar: _____

3. Segar la hierba: _____

4. Huerta: _____

Alberto

5. Averías: _____

6. Rachas: _____

7. Arreglo: _____

8. Furgoneta: _____

9. Enchufe: _____

10. Contador: _____

11. Estropeado: _____

12. Chapuza: _____

David

13. Policlínico: _____

14. Diagnóstico: _____

15. Guardia: _____

16. Atender: _____

6. 👥 **Habla con tu compañero.**

- ¿Cuál de estas profesiones te parece la más dura? ¿Por qué?
- ¿Qué te gustaría hacer en el futuro?
- ¿Cómo imaginas tu vida diaria dentro de 25 años?

UNIDAD 3
¿QUÉ HACEMOS EN NUESTRO TIEMPO LIBRE?

🎧
Pista 29 Raquel, Álvaro y Mila son compañeros de trabajo; para este fin de semana todavía no tienen ningún plan. Escucha su conversación y complétala con las palabras que faltan.

Álvaro: ¿Qué tal ha ido el trabajo, Mila?

Mila: Bien, pero me alegro de que sea _____; necesito desconectar de esta oficina...

Raquel: ¿Por qué no hacemos algo _____ este fin de semana?

Álvaro: Por mí, ¡genial! No tengo ningún _____ y no me _____ quedarme en casa.

Mila: ¿Qué os _____ si vamos a tomar algo y luego a ver una película?

Raquel: A mí me parece muy buena idea. Almodóvar ha _____ su nueva película y me encantaría verla.

Álvaro: ¡Vale! A mí también me _____ mucho las pelis de Almodóvar. ¿Qué os parece si vamos a la _____ de las 10 y después cenamos?

Mila: Sí, hace tiempo que _____ ir a comer al nuevo restaurante que han abierto cerca de mi casa.

Raquel: ¿Qué tipo de comida sirven?

Mila: Es un restaurante argentino, por lo que me imagino que servirán churrasco.

Álvaro: ¡Uhmm! ¡Qué rico! Yo me _____.

Raquel: Yo también, me _____ la carne argentina.

Mila: ¡Vale! ¿_____ entonces a las diez menos cuarto en la entrada del cine?

Álvaro: Mejor a las nueve y media; es viernes y _____ haber mucha gente.

Mila: Bien, pues... a las nueve y media.

Raquel: Nos vemos. ¡Hasta luego!

Álvaro: Chao.

2. ¿Conoces todo el vocabulario de esta conversación? Haz una frase con las siguientes palabras extraídas del texto.

1. Plan: _____

2. Apetecer: _____

3. Tomar algo: _____

4. Parecer: _____

5. Apuntarse: _____

6. Encantar: _____

7. Quedar: _____

3. Responde a estas dos preguntas relacionadas con la conversación.

1. ¿Adónde deciden ir Raquel, Álvaro y Mila el viernes por la noche?

_____

2. ¿A qué hora quedan?

_____

UNIDAD 4
MI CASA ES TU CASA

Marta y Fernando son una pareja de recién casados. Ahora están buscando un piso al que poder mudarse. Escucha la descripción que hacen de la casa en la que les gustaría vivir y haz las siguientes actividades.

Pista 30

1. Di si son verdaderas (V) o falsas (F) las siguientes afirmaciones.

1. Marta y Fernando buscan un piso acogedor y en las afueras. _____

2. El piso que buscan tiene que tener un balcón grande. _____

3. La cocina tendrá que estar completamente amueblada. _____

4. Marta y Fernando podrían pagar un máximo de 1300 euros al mes. _____

2. ¿Por qué? Explica la razón por la que Marta y Fernando necesitan...

1. Un piso céntrico: _____

2. Un balcón: _____

3. Una cocina amueblada: _____

3. Aquí tienes cuatro anuncios en los que se ofrecen pisos de alquiler. Léelos y elige el más conveniente para Marta y Fernando. Justifica tu respuesta.

1 Se alquila apartamento pequeño en el centro de la ciudad. Completamente amueblado. Dos dormitorios, cocina y baño. Con patio interior. Precio: 1150 euros al mes.

2 Se **ALQUILA PISO** agradable en las afueras. Semiamueblado. Tres dormitorios, dos baños, cocina y sala de estar. Con balcón. Precio: **1200** euros al mes.

3 Se ALQUILA piso pequeño pero muy acogedor en el centro. Sin amueblar pero con cocina equipada. Sala de estar, dos dormitorios y baño. Con balcón soleado. Precio: 1200 euros al mes.

4 SE ALQUILA APARTAMENTO EN ZONA RESIDENCIAL. COMPLETAMENTE AMUEBLADO. AMPLIO: TRES DORMITORIOS, COCINA, DOS BAÑOS Y GRAN SALÓN. ENORME TERRAZA Y JARDÍN. PRECIO: 1800 EUROS AL MES.

El piso ideal para Marta y Fernando es el número _____, porque _____

_____

¡TODO EL MUNDO A LA MESA!

unidad 5

OBJETIVOS

- Practicar las fórmulas de petición.
- Practicar el vocabulario relacionado con el campo semántico de la comida.
- Familiarizarse con la cultura culinaria española.

PRIMERA PARTE

A. ¿Adónde vamos?

Concertar una cita

Pista 31

1. Es sábado. Laura, Sara y Martín han decidido salir a cenar a un restaurante, pero les resulta difícil hacer una elección. Escucha la conversación y responde a las siguientes preguntas.

1. ¿Por qué razones deciden los chicos ir a cenar a un restaurante?

   _____

2. ¿A qué restaurante propone ir Laura? ¿Por qué?

   _____

3. ¿A qué restaurante propone ir Sara? ¿Qué le parece a Martín su idea?

   _____

4. ¿Adónde deciden ir finalmente? ¿Por qué?

   _____

Pista 31

2. Escucha de nuevo la conversación y trata de dar un sinónimo o explicar el significado de las siguientes expresiones.

1. Yo también me apunto. _____

2. Trato hecho. _____

3. La especialidad de la casa. _____

4. Las comidas exóticas no me hacen gracia. _____

B. Te invito a comer. ¿Vienes?

En el restaurante

1. **Sara, Martín y Laura están en el bar Azul. Escucha lo que piden al camarero y completa el siguiente cuadro.**

2. **A continuación completa la conversación con las palabras que faltan.**

Pista 32

	Bebida	Comida	Postre	Café
Laura				
Martín				
Sara				

Camarero: Hola, chicos, ¿_____?
Sara: Uhmmm, yo todavía no lo tengo claro. ¿Te importaría volver dentro de un ratito?
Camarero: ¡Claro! Tomaos el tiempo que necesitéis.

(Un ratito más tarde.)

Camarero: ¿Qué os _____ para beber?
Martín: ¿Tenéis vino _____?
Camarero: Sí.
Martín: Vale, a mí me _____ un vino, por favor.
Sara: Yo _____ una caña de cerveza.
Laura: A mí me traes un _____ de piña.
Camarero: Muy bien. ¿Y qué _____ para comer?
Martín: La tortilla... ¿lleva cebolla?
Camarero: No.
Martín: Entonces, para mí una _____ de tortilla, por favor.
Laura: Yo quiero una ración de chipirones fritos y una de _____.
Camarero: ¿Y para ti?
Sara: Es una elección difícil, la verdad es que todo tiene muy _____.
Camarero: Yo te recomiendo la sopa de truchas, es la _____ de la casa.
Sara: Vale, pues entonces _____ un plato de sopa de truchas.
Camarero: Perfecto, _____ os traigo todo.

(Después de la comida.)

Camarero: ¿Qué tal estaba todo?
Sara: _____.
Camarero: ¿Queréis algo de _____? Tenemos una tarta de queso que está para chuparse los dedos.
Laura: Vale, a mí me traes un _____ de esa tarta.
Camarero: ¿Y para vosotros?
Sara: Yo quería un cortado.
Martín: A mí me _____ un café solo, por favor.

3. Ahora lee la transcripción de la conversación (página 115) e intenta deducir el significado de las siguientes palabras y expresiones.

vino de la casa _____

caña _____

una ración _____

buena pinta _____

enseguida _____

riquísimo _____

postre _____

estar para chuparse los dedos _____

un cortado _____

4. ¿Conoces los platos que han comido los chicos? ¿Has probado alguno? ¿Te gustó? ¿Conoces otros platos típicamente españoles? ¿Cuáles?

_____

_____

_____

_____

_____

_____

_____

VOCABULARIO

▪ Existen en español varias formas de pedir algo en un restaurante. He aquí algunas.

Formal	Informal
Camarero:	**Camarero:**
¿Qué desean/quieren para comer/beber?	*¿Qué va a ser?*
	¿Qué te/os pongo?
¿Qué les traigo/pongo de primero/segundo/postre?	*¿Qué vas/vais a tomar?*
¿Qué van a tomar los señores?	*¿Qué queréis para comer/beber?*
Cliente:	**Cliente:**
Yo, de primero/segundo/postre quisiera/desearía..., por favor.	*Yo de primero quiero...*
A mí me trae..., por favor.	*Me traes/pones...*

C. Comiendo en casa

Usos y costumbres culinarias

1. ¿Qué sabes acerca de la cultura culinaria de España? Contesta a las siguientes preguntas.

1. ¿Cuántas comidas calientes se toman en España durante el día?

_____

2. ¿Sabes lo que desayunan los españoles?

_____

3. ¿A qué hora se almuerza y se cena en España?

_____

4. ¿Sabes cómo se llama la comida que se hace entre el almuerzo y la cena?

_____

2. Ahora escucha lo que dice Sara acerca de las costumbres y los horarios de las comidas en España y comprueba si son correctas tus respuestas.

ista 33

> ### VOCABULARIO
>
> - Cultura gastronómica de un país: costumbres relacionadas con la alimentación y las comidas típicas del país.
> - Tentempié: pequeña comida que tomamos entre dos comidas importantes.
> - Merienda: pequeña comida entre el almuerzo y la cena.

3. 👥 **¿Cómo es la cultura gastronómica de tu país? Habla con tu compañero y explícale qué tradiciones tenéis en tu país. Incluye los siguientes puntos:**

–Platos y bebidas típicas.
–Horario de comidas.
–Fiestas gastronómicas.

SEGUNDA PARTE

A. ¿Adónde vamos?

¿En dónde compramos los alimentos?

1. Vas a escuchar tres diálogos en tres tiendas distintas. Escucha con atención y relaciona cada uno de ellos con la tienda en la que tiene lugar. Escribe después el nombre de la tienda y las palabras clave que te han llevado a esa conclusión.

ista 34

Nombre:	Nombre:	Nombre:
_____	_____	_____
Palabras clave:	**Palabras clave:**	**Palabras clave:**
_____	_____	_____
_____	_____	_____

B. Te invito a comer. ¿Vienes?

Expresiones sabrosas

1. ¿Conoces todas estas expresiones? Relaciona cada una de ellas con su significado correspondiente.

1. Ponerse como un tomate/pimiento.
2. Dar las uvas.
3. Tener mala uva.
4. Ser pan comido.
5. Importar un pimiento.
6. Ser del año de la pera.

a) No dar importancia a algo.
b) Estar de mal humor.
c) Hacerse tarde.
d) Ser muy antiguo.
e) Ruborizarse en una situación embarazosa.
f) Ser fácil.

2. Karlos Arguiñano es uno de los cocineros más populares de la televisión en España. De su página web hemos sacado esta receta. Intenta completarla con las palabras del recuadro y dale un nombre.

¡Cuidado! Los verbos en una receta de cocina van en imperativo.

perejil – cerdo – sartén – previamente – cortar
sazonar – fuente – chorro – asar – limpiar – aliñar

Nombre de la receta: _____
_____

Para 4 personas

800 gramos de cadera de cerdo
1 berenjena
4 cebolletas
1 pimiento rojo
2 pimientos verdes
8 dientes de ajo
aceite virgen extra
sal
pimienta
perejil

_____ las verduras, colócalas sobre una placa de horno. _____ y riégalas con un _____ de aceite. Introdúcelas en el horno (_____ calentado) y _____ durante 30 minutos a 180º C.

Cuando estén hechas, pela las verduras y _____ en tiras.

_____ con aceite y sal.

Corta la carne de _____ en tacos y salpimiéntalos.

Pon los ajos a freír en una _____ con aceite. Añade la carne y fríela.

Sirve las verduras en una _____ y los tacos de carne en otra. Decora con una rama de _____.

3. Ahora escribe el nombre de cada uno de estos ingredientes.

A   B   C   D   E   F   G   H

4. 👥 **Consulta la página web de Karlos Arguiñano: https://www.hogarmania.com/ cocina/cocineros/karlos-arguinano/. Mira sus recetas, escoge la que más te guste e intenta explicar a tu compañero cómo se prepara.**

C. Comiendo en casa

Usos y costumbres

1. Intenta deducir el significado de las siguientes expresiones relacionadas con la comida.

    1. Esta paella <u>está para chuparse los dedos</u>.

    2. Hoy Lorenzo tiene un examen muy importante y <u>está como un flan</u>.

    3. María ha perdonado el mal comportamiento de Manuel. La verdad es que <u>es un pedazo de pan</u>.

2. 👥 **Piensa en una receta típica de tu país y explica el proceso de elaboración a tu compañero.**

unidad

6

OBJETIVOS

- Expresión del dolor.
- Dar consejos.
- Hablar de aspectos relacionados con la salud.

PRIMERA PARTE

A. ¡Ay! ¡Cómo me duele!

Expresión de dolor

🎧 **1. Hoy Sara no ha ido a clase. Laura y Martín están preocupados y deciden ir a visitarla para saber qué le pasa. Escucha la conversación y responde a las preguntas.**
Pista 35

1. ¿Por qué Martín y Laura deciden ir a visitar a Sara?

_____

2. ¿Qué le ocurre a Sara?

_____

3. ¿Qué cree Laura que le ha sentado mal a Sara?

_____

4. ¿Qué le ocurre a Sara, según la opinión de Martín?

_____

5. ¿Qué dice Sara sobre visitar al médico?

_____

2. Al día siguiente Martín y Laura van a visitar a Sara de nuevo. Escucha la conversación que mantienen y di si son verdaderas (V) o falsas (F) las siguientes afirmaciones.

ista 36

1. Hoy Sara se encuentra mucho mejor que ayer. _____

2. Sara ha ido al médico porque tenía un dolor de cabeza horrible. _____

3. El médico no le ha recetado nada. _____

4. Sara puede comer todo lo que le apetezca. _____

3. Escucha la conversación de nuevo y escribe las palabras que faltan.

Pista 36

Sara:	¿Sí?
Martín:	Hola, Sara, somos nosotros.
Laura:	Hola, ¿qué tal estás hoy?
Sara:	La verdad es que no _____ mucho mejor.
Martín:	Pero… ¿has ido al médico?
Sara:	Sí, he ido esta mañana temprano, porque no he parado de _____ en toda la noche y, además, me ha subido la _____.
Martín:	¿Y qué te ha dicho?
Sara:	Que probablemente se trate de una _____ por culpa de la mayonesa, que estaba en mal estado.
Martín:	¡Te lo dije!
Laura:	¿Te ha _____ algo?
Sara:	Me ha dado unas _____ y me ha dicho que repose, que beba mucha agua y que por un par de días sólo coma arroz cocido.
Laura:	Bueno, haz lo que te ha dicho el médico y en pocos días estarás como nueva.
Sara:	Lo haré, gracias por haber venido.
Martín:	Adiós, y _____ mucho.
Sara:	Chao.

B. ¿Qué me pasa, doctor?

Dar consejos

Pista 37

unidad 6

1. Escucha la conversación que mantiene Sara con el médico y escoge la respuesta apropiada.

1. ¿Qué síntomas tiene Sara?

    a) Le duele la cabeza y tiene vómitos.

    b) Se marea y le duele el estómago.

    c) Tose con frecuencia y tiene fiebre.

2. ¿Qué comió Sara anoche?

    a) Pescado con patatas y verdura.

    b) Carne asada con pimientos.

    c) Pescado con patatas y mayonesa.

3. ¿Qué tratamiento tiene que seguir Sara?

    a) Tiene que tomarse unas pastillas, beber mucha agua y solo comer arroz cocido.

    b) Tiene que meterse en cama y comer muchas verduras.

    c) Tiene que tomarse un jarabe y beber mucha agua.

4. ¿Durante cuánto tiempo debe tomarse Sara las pastillas?

    a) Durante 15 días.

    b) Durante 5 días.

    c) Durante 7 días.

2. Escucha de nuevo el diálogo entre Sara y el médico y une cada palabra con su definición.

Pista 37

1. Síntoma	a) Examen o exploración médica.
2. Vomitar	b) Conjunto de medios que se utilizan para curar o aliviar una enfermedad.
3. Fiebre	c) Pequeña porción de pasta medicinal, normalmente de forma redondeada.
4. Termómetro	d) (Enfermedad) seria y complicada.
5. Intoxicación	e) Instrumento que sirve para medir la temperatura.
6. Grave	f) Acción y efecto de intoxicar.
7. Tratamiento	g) Expulsar violentamente por la boca lo contenido en el estómago.
8. Pastillas	h) Fenómeno patológico que se manifiesta por elevación de la temperatura normal del cuerpo y mayor frecuencia del pulso y la respiración.
9. Reconocimiento	i) Fenómeno revelador de una enfermedad.

3. Escribe cinco frases utilizando algunas palabras del ejercicio anterior.

1. _____

2. _____

3. _____

4. _____

5. _____

REcuERDa

Para dar consejos podemos utilizar:

- El condicional:
  *Yo en tu lugar **iría** al médico.*
  *Si yo fuese tú, **estudiaría** más para el examen.*

- El imperativo:
  ***Beba** más agua y **haga** ejercicio.*

- El subjuntivo:
  *Te aconsejo que **sigas** el tratamiento.*
  *Mi consejo es que **hables** con María.*

C. ¿Qué hacemos para estar sanos?

Hábitos saludables

1. **Sara ha seguido los consejos del médico y ya se encuentra mucho mejor. Escucha la conversación que mantiene con sus amigos y relaciona a cada personaje con lo que hace para estar sano.**

Pista 38

1. Sara	a) No fuma.
	b) Algunas veces va a nadar a la piscina.
2. Martín	c) Sigue una dieta equilibrada.
	d) Hace mucho deporte.
3. Laura	e) No bebe alcohol.
	f) Se acuesta temprano.

2. **A continuación responde a la pregunta.**

   ¿Cuál de los tres chicos es él más sano? ¿Por qué?

   _____

SEGUNDA PARTE

A. ¡Ay! ¡Cómo me duele!

Expresión de dolor

1. **Estas personas están enfermas. Escucha sus quejas y escribe el número debajo de la imagen correspondiente.**

Pista 39

Quizás no conozcas algunas palabras que usan; si no puedes deducir su significado, consúltalo en el cuadro de vocabulario.

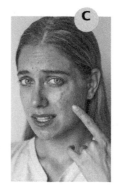

_____   _____   _____   _____   _____

VOCABULARIO

- **Tos**: movimiento convulsivo y sonoro del aparato respiratorio.
- **Moco**: materia pegajosa y espesa, que fluye por las ventanas de la nariz en procesos gripales o catarrales.
- **Estar mareado**: sentir un malestar que afecta al estómago o a la cabeza.
- **Tener el estómago revuelto**: tener molestias en el estómago.
- **Muela picada**: muela con un pequeño agujero superficial, provocado por la caries.
- **Empastar una muela**: rellenar con pasta el hueco de una muela producido por la caries.
- **Escalofrío**: sensación de frío, por lo común repentina, violenta y acompañada de contracciones musculares, que a veces precede a un ataque de fiebre.
- **Grano**: especie de pequeño tumor que nace en alguna parte del cuerpo y a veces cría pus.

2. **Piensa en una enfermedad y describe sus síntomas; tu compañero tratará de adivinar de qué enfermedad se trata.**

B. ¿Qué me pasa, doctor?

Dar consejos

1. **Da consejos a los enfermos del ejercicio A1.**

(Recuerda que para dar consejos utilizamos el imperativo, el condicional o el subjuntivo.)

A. _Te aconsejo que bebas mucha agua y te metas en cama durante un par de días._

B. _____

C. _____

D. _____

E. _____

2. **Vas a escuchar los consejos que el médico da a tres enfermos. ¿A cuál de estas cinco enfermedades se refiere cada recomendación?**

Pista 40

A) Gripe	_____	D) Migraña	_____
B) Dolor de oídos	_____	E) Diarrea	_____
C) Una herida	_____		

C. ¿Qué hacemos para estar sanos?

Hábitos saludables

LEYES QUE CAMBIAN LA VIDA

La legislación antitabaco demuestra que la política puede imponerse a los prejuicios

La ley antitabaco que prohibió fumar en todos los lugares de trabajo (salvo locales de hostelería) cumple diez años estos días. Y su extensión a bares y restaurantes, que desató polémicas y protestas ante el cambio cultural que suponía en España, cumple seis. Un tiempo de enhorabuena para una sociedad que ha demostrado que una buena política puede cambiarnos la vida en contra de los prejuicios, las alarmas que se produjeron entonces sobre el eventual cierre de negocios o la incredulidad que generaba la amenaza de sanciones a quienes violaran la ley.

El consumo de tabaco se ha reducido en España desde un 36,8 % en 2003 hasta un 30,8 % en 2013 (últimos datos disponibles de la Encuesta sobre Alcohol y Drogas del Ministerio de Sanidad). Los efectos en la salud tardarán en extenderse, ya que la mortandad causada por el tabaco aparece muchos años después de iniciarse el consumo, que se considera responsable de más de 60 000 muertes al año, cerca del 15 % del total. La ley redujo el consumo, mejoró nuestra calidad de vida y

colocó a España entre los países más avanzados en legislación, pero la guerra no ha terminado. Las terrazas cerradas se han converti do en refugio de humo a pesar de la prohibición cuando cuentan con al menos dos paredes y así lo percibe el 42 % de españoles. Algunas comunidades como País Vasco han emprendido otros caminos al prohibirlo en estadios o plazas de toros, además de coches o parques infantiles. Y la UE ha abierto el debate sobre la estandarización de todas las cajetillas como fórmula imaginativa para restarle poder a la mercadotecnia. Se abren así vías para avanzar en un combate que merece la pena librar. Bienvenidas.

Noticia extraída de: https://elpais.com/elpais/2017/01/07/opinion/1483805858_657813.html

1. Lee el artículo y contesta a las preguntas.

1. ¿Cuáles son las dos prohibiciones más importantes de la ley antitabaco en España?

_____

_____

2. ¿En los últimos años se ha reducido en España el consumo de tabaco?

_____

_____

3. ¿Actualmente, se puede fumar en las terrazas de bares y restaurantes de España?

_____

_____

2. 👥 Habla con tu compañero.

1. ¿Cuál es la situación con respecto al tabaco en tu país?

2. ¿Estás de acuerdo con la ley antitabaco vigente en España? ¿Por qué?

3. ¿Qué opinas acerca de la gente que fuma?

¡TODO EL MUNDO A TRABAJAR!

unidad 7

- Expresión de deseos y sueños profesionales.
- Elaboración de un currículo.
- Preparación para una entrevista de trabajo.

PRIMERA PARTE

A. De mayor quiero ser...

Expresión de deseos y sueños profesionales

🎧 Pista 41

1. Sara, Martín y Laura estudian Periodismo, pero cuando terminen la carrera no todos quieren hacer lo mismo. Escucha la conversación y responde a las siguientes preguntas.

1. ¿Qué trabajo ha visto anunciado Martín este fin de semana en el periódico?

_____

2. ¿En qué quiere trabajar Martín cuando termine sus estudios?

_____

3. ¿Qué quiere hacer Sara cuando termine la carrera? ¿Qué le parece esta profesión a Laura?

_____

_____

4. ¿Con qué profesión sueña Laura?

_____

Fíjate en las expresiones que podemos utilizar para hablar de deseos o expectativas futuras:

- Condicional + infinitivo:

  *¿En qué te **gustaría trabajar** cuando termines la carrera?*

  *Cuando termine la carrera, me **encantaría ser** profesora.*

- Presente (*querer, desear...*) + infinitivo:

  *¿Qué **quieres hacer** después del máster?*

  *Después del máster **quiero buscar** trabajo como abogado.*

- *Soñar con* + infinitivo:

  ***Sueño con trabajar** como cirujano en un hospital.*

¡Atención!

La diferencia entre el condicional y el presente es que el primero expresa una situación más improbable e hipotética que el segundo.

B. ¡Soy la persona que buscan!

Elaboración de un currículo

1. Martín ha visto en el periódico un anuncio en el que se ofrece un puesto de redactor. Escucha la conversación que mantiene con sus amigos y completa su currículo con la información que falta.

ista 42

CURRÍCULO

Datos personales:

Nombre: Martín

Apellidos: _____

Fecha de nacimiento: _____

–

Dirección: Sol Oriente, número 12, piso 2.º A; 36002, Salamanca

Número de teléfono: _____

Dirección de correo electrónico: martinvalderrama@yahoo.es

Formación académica:

1986-1997: _____

1997-2001: Bachillerato en el colegio privado La Paz, Caracas.

2004: _____

Experiencia profesional:

Enero-septiembre 2002: _____

Octubre 2002-febrero 2003: Redactor de la sección de cine de la revista cultural *El cangrejo naranja.*

Desde octubre 2002: _____

---

2. Martín decide solicitar el puesto ofrecido en el anuncio del periódico. Lee el anuncio y responde a la pregunta.

SE REQUIEREN REDACTORES
La revista juvenil *Bravo* busca redactores jóvenes, entusiastas e innovadores para una nueva sección. La experiencia es un extra, pero no es indispensable. Se ofrece un trabajo a tiempo parcial de 16 horas por semana, y un sueldo mensual de 1095 euros netos. Interesados enviar currículo a la siguiente dirección de correo electrónico: <u>Bravo@bravo.es</u>

¿Crees que Martín es un buen candidato para el puesto? ¿Por qué?

_____

_____

C. Ya lo llamaremos

Una entrevista de trabajo

1. La revista juvenil *Bravo* ha llamado a Martín para hacerle una entrevista. Escucha el diálogo y completa las oraciones con las palabras que faltan.

Pista 43

Entrevistador:	Hola, buenos días, _____ por favor. Usted debe de ser Martín Valderrama.
Martín:	Así es.
Entrevistador:	Le hemos llamado porque nos gustaría hacerle algunas preguntas con el objetivo de saber un poco más de usted. ¿Por qué ha solicitado este _____?
Martín:	Soy estudiante de Periodismo y estoy muy interesado en la prensa escrita; trabajar para ustedes me permitiría _____ nuevos campos temáticos.
Entrevistador:	¿Por qué ha escogido la _____ de Periodismo?
Martín:	Me encanta escribir y adoro la actualidad; la suma de estas dos pasiones es el periodismo.
Entrevistador:	¿Le gusta el _____ _____ o prefiere trabajar de forma independiente?
Martín:	Me encuentro muy cómodo dentro de un equipo, aunque debo admitir que soy muy perfeccionista y, a veces, exijo demasiado de mis _____.
Entrevistador:	Mi última pregunta es... ¿cuántos días estaría dispuesto a trabajar?
Martín:	Debido a mis estudios, me gustaría trabajar a _____; el horario podríamos discutirlo, si fuese oportuno.
Entrevistador:	Perfecto, ha sido un placer. Muchas gracias por su tiempo; ya lo llamaremos.
Martín:	Muchas gracias y buenos días.

2. A la semana siguiente la revista *Bravo* llama a Martín para comunicarle que le han dado el puesto. Escucha la conversación que mantiene con el director de la revista y contesta a las preguntas.

1. ¿Ha sido informado Martín antes de la entrevista acerca de las condiciones del contrato?

_____

2. ¿Qué tipo de contrato ofrece la revista *Bravo* a Martín?

_____

3. ¿Cuánto dinero recibirá Martín mensualmente?

_____

4. ¿Cómo será el primer mes de trabajo para Martín?

_____

5. ¿Qué día tiene que empezar Martín con su nuevo trabajo?

_____

3. ¿Conoces el significado de todas las palabras? Lee la transcripción del diálogo en la página 118 y une cada palabra con el sinónimo correspondiente.

1. Enhorabuena   a) Equipo

2. Trabajo   b) Puesto

3. Mensualmente   c) Cada mes

4. Salario   d) Felicidades

5. Plantilla   e) Sueldo

4. Ahora explica en español el significado de estas otras palabras y expresiones, sacadas de la misma conversación.

1. Contrato temporal: _____

2. Tiempo parcial: _____

3. 1 095 euros netos: _____

unidad 7

A. De mayor quiero ser...

Expresión de deseos y sueños profesionales

Pista 45

1. Lee los anuncios y escucha las descripciones que varias personas hacen de sí mismas. Relaciona a cada persona con la oferta más adecuada para ella e intenta explicar el por qué de tu elección.

1

Se requiere licenciado en Económicas y Empresariales.

Trabajo a tiempo parcial en empresa multinacional para llevar a cabo las relaciones económicas con nuestros clientes en el extranjero. Buen salario y horas extras remuneradas. Interesados enviar currículo y dos cartas de recomendación a la siguiente dirección postal: Empresa Lozano, calle Nueva, nº 8, 15706 Santiago de Compostela, A Coruña.

2

SE ALQUILA

Local de 100 metros cuadrados en el centro de Madrid. Interesados ponerse en contacto en el siguiente número de teléfono: 627 836 809.

3

SE REQUIERE CONSERVADOR para trabajo a jornada completa en pequeña galería a las afueras de Madrid que incluirá redacción de cartas, elaboración de facturas y selección de obras para exposiciones. Interesados mandar currículo a la siguiente dirección de correo electrónico: galeriamar@hotmail.com.

4

SE REQUIERE LICENCIADO EN ECONÓMICAS Y EMPRESARIALES O MATEMÁTICAS.

Trabajo a tiempo parcial en empresa familiar para responsabilizarse de las cuentas del negocio. Salario a convenir. Interesados llamar al número de teléfono: 657 834 562.

1. El mejor trabajo para María es la oferta número _____ porque
_____

2. Ana está interesada en la oferta número _____ porque
_____

3. Santiago está interesado en la oferta número _____ porque
_____

B. ¡Soy la persona que buscan!

Elaboración de un currículo

1. Habla con tu compañero y rellena su currículo con la información que te proporcione.

CURRÍCULO

Datos personales:

Nombre: _____

Apellidos: _____

Fecha de nacimiento: _____

Dirección: _____

Número de teléfono: _____

Dirección de correo electrónico: _____

Formación académica:

De _____ a_____: _____

De _____ a_____: _____

En _____: _____

Experiencia profesional:

Desde _____ a_____: _____

Desde _____ a_____: _____

Desde _____ a_____: _____

C. Ya lo llamaremos

Una entrevista de trabajo

1. Aquí tienes cuatro profesiones. Escribe un anuncio para cada una de ellas, como el del ejercicio A-1 de la segunda parte.

periodista – bombero – profesor – electricista

2. 🯅🯅 **Tu compañero escogerá una de las cuatro profesiones del ejercicio anterior y tú deberás entrevistarlo. No te olvides de tratar aspectos como:**

la educación – la experiencia profesional – el salario – jornada parcial o completa – etc.

¡A MOVERSE!

OBJETIVOS

- Hablar de deportes.
- Familiarizarse con el vocabulario de reglas deportivas.
- Hablar de los grandes acontecimientos deportivos y de los aspectos positivos y negativos del deporte.

PRIMERA PARTE

A. ¿Y tú, qué deporte practicas?

Aficiones deportivas

Pista 46

1. **Laura se siente en baja forma y ha decidido matricularse en un gimnasio para practicar algún deporte. Escucha la conversación que mantiene con sus amigos y di si son verdaderas (V) o falsas (F) las siguientes afirmaciones.**

1. Laura decide ir al gimnasio porque ha engordado dos kilos. _____

2. A Laura le parecen divertidos los deportes individuales. _____

3. En algunos gimnasios se pueden practicar deportes en equipo. _____

4. A Martín le gusta mucho el tenis. _____

5. Sara odia el deporte. _____

6. Sara nada porque tiene problemas de espalda. _____

7. Sara nada una vez por semana. _____

GRAMÁTICA

- El verbo **_jugar_** es irregular en el presente de indicativo. Esta es su conjugación:

Yo **jue**go	Nosotros/-as jugamos
Tú **jue**gas	Vosotros/-as jugáis
Él/ella **jue**ga	Ellos/-as **jue**gan

Yo **juego** al fútbol todos los fines de semana.
Ana y Sofía **juegan** al tenis cada martes.

B. ¿Jugamos un partido?

Las reglas del juego

1. Finalmente Laura decide apuntarse a un gimnasio e inscribirse en un curso de tenis. Escucha la conversación que mantiene con su entrenador y di si son verdaderas (V) o falsas (F) las siguientes afirmaciones.

Pista 47

1. Un partido tiene seis sets. _____
2. Un set tiene tres juegos. _____
3. Cada tanto vale 15 puntos. _____
4. La situación de empate se llama "iguales". _____
5. El "servicio" es uno de los elementos más importantes del juego. _____
6. En el tenis no hay descansos. _____

2. Escucha otra vez la conversación y trata de unir cada palabra con la definición o el sinónimo correspondiente.

Pista 47

1. Partido	a) Deportista
2. Reglas	b) Encuentro deportivo que enfrenta a dos personas o equipos
3. Tanto	c) Unidad de cuenta en muchos juegos
4. Jugador	d) Conjunto de preceptos que regulan un juego
5. Sacar	e) Pausa en el desarrollo de un partido
6. Pelota	f) Terreno de juego
7. Campo	g) Dar el primer golpe a la pelota
8. Descanso	h) Balón pequeño

3. Ahora une cada palabra con el contrario o antónimo correspondiente.

1. Ganar	a) Corto
2. Empatar	b) Desempatar
3. Ventaja	c) Perder
4. Largo	d) Desventaja

C. ¿Ganaremos alguna medalla?

Los grandes acontecimientos deportivos y la cara negativa del deporte

1. Sara, Martín y Laura hablan de los grandes acontecimientos deportivos. Escucha su conversación y completa las siguientes frases.

Pista 48

1. A Sara le gusta ver _____ y _____.
2. A Laura le encanta ver _____ y _____.
3. A Martín le apasiona ver _____ y _____.

🎧 **2. ¿Qué sabes del dopaje? Escucha el reportaje que ha escrito Sara y responde a las preguntas.**

Pista 49

    1. ¿Qué es el dopaje?

    _____

    2. ¿Es el dopaje un fenómeno reciente?

    _____

    3. ¿Practicar deporte influye en los jóvenes?

    _____

    4. Según el reportaje, ¿por qué el deporte debe ser ético?

    _____

SEGUNDA PARTE

A. ¿Y tú, qué deporte practicas?

Aficiones deportivas

🎧 **1. Estos son Javier, Daniela y Flor. Escucha lo que dicen acerca de los deportes que practican y completa las fichas con la información que falta.**

Pista 50

Nombre: Javier
Edad: _____
Deporte: _____
¿Desde cuándo practica ese deporte?: _____
¿Por qué empezó a practicarlo?
_____

Entrenamiento:
_____

Especialidad:
_____

Nombre: Daniela
Edad: _____
Deporte: _____
¿Desde cuándo practica ese deporte?: _____
¿Por qué empezó a practicarlo?
_____

Entrenamiento:
_____

Especialidad:
_____

Nombre: Flor
Edad: _____
Deporte: _____
¿Desde cuándo practica ese deporte?: _____
¿Por qué empezó a practicarlo?
_____

Entrenamiento:
_____

Especialidad:
_____

2. ¿Sabes cómo se llaman estos deportes? Escribe sus nombres.

_____

_____

3. 👥 **Habla con tu compañero. Uno es A y el otro es B; luego, intercambiad los roles.**

A	B
1. ¿Practicas algún deporte?	1. Practico el... / Juego al...
2. ¿Cuál es tu deporte favorito? ¿Por qué?	2. Mi deporte favorito es... porque...
3. ¿Qué deportes te gusta ver en la televisión?	3. Me gusta/encanta/apasiona ver... porque...
4. ¿Crees que es bueno practicar deportes? ¿Por qué?	4. Creo/pienso/opino que... porque...

B. ¿Jugamos un partido?

Las reglas del juego

Pista 51

1. Escucha las reglas de dos deportes diferentes, intenta adivinar de qué deportes se trata y completa las oraciones.

   1. El deporte número 1 es _____,

      porque _____

      _____.

   2. El deporte número 2 es _____,

      porque _____

  _____.

2. Las palabras de este ejercicio están en el fragmento que acabas de escuchar. Escúchalo de nuevo y une cada palabra con la imagen correspondiente.

   a) Balón   b) Portero   c) Gol

   d) Encestar   e) Canasta

C. ¿Ganaremos alguna medalla?

Los grandes acontecimientos deportivos y la cara negativa del deporte

Pista 52

1. **Todos los grandes acontecimientos deportivos tienen una mascota o un símbolo que los representa. Estas tres imágenes corresponden a acontecimientos deportivos de los últimos 20 años. Escucha la grabación y responde a las preguntas.**

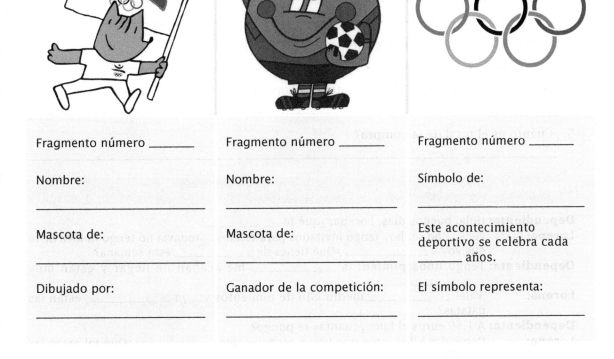

Fragmento número _____

Nombre:

_____

Mascota de:

_____

Dibujado por:

_____

Fragmento número _____

Nombre:

_____

Mascota de:

_____

Ganador de la competición:

_____

Fragmento número _____

Símbolo de:

_____

Este acontecimiento deportivo se celebra cada _____ años.

El símbolo representa:

_____

2. Habla con tu compañero sobre los aspectos negativos del deporte. Aquí te damos algunas ideas.

- El dopaje.
- La competitividad.
- La presión y el miedo a la decepción de otros.
- Los duros y largos entrenamientos.
- La corta duración de la carrera profesional.
- El sacrificio corporal.

UNIDAD 5
¡TODO EL MUNDO A LA MESA!

Pista 53

A. Lorena ha organizado una cena en su casa para sus amigos Álex y Carmen, son las diez de la mañana y ha salido de casa para comprar todo lo necesario para prepararla. Escucha la conversación que mantiene con la tendera y hazlas siguientes actividades.

Pista 53

1. ¿Has entendido bien la conversación? Escúchala de nuevo y responde a las siguientes preguntas.

1. ¿Qué producto está de oferta en la tienda?

   _____

2. ¿A cómo está el kilo de patatas?

   _____

3. ¿Cuántos huevos se lleva Lorena?

   _____

4. ¿Qué es lo que casi se le olvida comprar a Lorena?

   _____

5. ¿Cuánto es el total de la compra?

   _____

2. Completa la conversación que acabas de escuchar con las palabras que faltan.

Dependienta: Hola, buenos días, Lorena, ¿qué te _____?

Lorena: Pues..., no sé, hoy tengo invitados para cenar y... todavía no tengo ni idea de lo que voy a _____. ¿Qué tienes de _____ esta semana?

Dependienta: Tengo unos pimientos _____, me acaban de llegar y están muy _____.

Lorena: ¡Vale! _____ medio kilo de pimientos y... ¿a _____ están las patatas?

Dependienta: A 1,50 euros el kilo; ¿cuántas te pongo?

Lorena: Dame dos kilos, creo que voy a preparar una _____. ¿Qué tal están las cebollas?

Dependienta: Muy _____ ... ¡Son de León!

Lorena: Pues... _____ cuatro cebollas. ¿Tienes huevos frescos?

Dependienta: Sí, están _____.

Lorena: ¿A cómo son?

Dependienta: Están a tres euros la _____.

Lorena: ¡Uy! ¡Qué caros! En ese caso, no me des una, dame media docena.

Dependienta: ¿_____ más?

Lorena: ¡Ah! ¡Sí! Casi se me olvida, dame una botella de aceite de girasol.

Dependienta: ¿Eso es _____?

Lorena: Sí, eso es todo. ¿_____ es?

Dependienta: A ver... Los pimientos, 1 euro; las patatas, 3 euros; las _____, 90 céntimos; los huevos, 1,50 euros, y la botella de aceite, 1,15. En total son _____ euros.

Lorena: Aquí tienes.

Dependienta: Muchas gracias y... ¡hasta la próxima!

B. Álex y Carmen han llegado puntualmente a casa de Lorena. Escucha la conversación que mantienen los tres amigos durante la cena y haz las siguientes actividades.

Pista 54

1. ¿Conoces el significado de todas las palabras de la conversación? Escúchala una vez más y une cada uno de estos adjetivos con el producto al que califican en el fragmento que acabas de escuchar.

Pista 54

1. Jugosa	a) Tarta
2. Doraditas	b) Vino
3. Picaditos	c) Patatas
4. Dulce	d) Tortilla
5. Amargo	e) Tarta
6. Afrutado	f) Pimiento y cebolla

2. Ahora intenta explicar el significado de cada uno de los adjetivos.

Jugoso: _____

Doradito: _____

Picadito: _____

Dulce: _____

Amargo: _____

Afrutado: _____

3. ¿Te acuerdas del imperativo? Si todavía tienes dudas, lee este pequeño resumen gramatical.

GRAMÁTICA

- El imperativo se usa para:

  – Dar instrucciones: *Primero **meta** la cinta en el vídeo y luego pulse el botón "play".*
  – Mandar, ordenar: ***¡Cállate!** Estoy harta de oír tus quejas.*
  – Aconsejar: ***Abrigaos**, hace mucho frío en la calle.*
  – Invitar: ***Volved** a visitarnos cuando queráis.*
  – Dar permiso: *¿Puedo pasar? **Pasa, pasa.***
  – Rogar: ***Préstame** dinero, ¡lo necesito!*

- Las formas del imperativo afirmativo son:

  – *Tú* = a la tercera persona del singular del presente de indicativo (él):
  – *Vosotros* = al infinitivo cambiando la R por una D.
  – *Usted, ustedes* = a la tercera persona de singular/plural del presente de subjuntivo.

- Las formas de imperativo negativo son iguales a las correspondientes del presente de subjuntivo.

- Posición de los pronombres personales con imperativo:

  – Imperativo afirmativo: Los pronombres van después del verbo y forman una palabra con él. *¡**Dámelo** ahora mismo!*
  – Imperativo negativo: Los pronombres van antes del verbo y separados. *No me lo **des**, no lo necesito.*

4. Ahora que ya tienes claro lo que es el imperativo, completa la receta de la tortilla que Lorena le explica a Álex con la forma del imperativo de los verbos que están entre paréntesis.

Álex: Todo está delicioso, Lorena, y la tortilla está muy jugosa... ¿Cómo la has hecho?

Lorena: Álex, como se nota que no eres español, todo el mundo en España sabe preparar una tortilla de patatas. Es muy simple, _____ (*mirar*). Primero _____ (*pelar*) las patatas, unas seis más o menos, _____ (*cortar*) y _____ (*freír*) en una sartén con bastante aceite hasta que estén doraditas. Después _____ (*añadir*) el pimiento y la cebolla picaditos; _____ (*dejar*) que todo se haga durante unos minutos y, mientras tanto, _____ (*batir*) media docena de huevos, _____ (*echar*) los huevos batidos en la sartén y _____ (*esperar*) durante unos minutos a que se pase. ¡No le _____ (*dar*) la vuelta antes de tiempo!, puede caérsete toda la tortilla al suelo. Y... ¡lista para servir!

UNIDAD 6
¡AY, QUÉ DOLOR!

🎧
Pista 55 Son las siete de la mañana e Inés se encuentra fatal, ha dormido muy mal y ha estado tosiendo toda la noche. Decide levantarse e ir al médico. Escucha la siguiente conversación y haz las tareas propuestas.

1. Responde a las siguientes preguntas.

1. ¿Qué tres síntomas tiene Inés?

_____

2. ¿Qué dos acciones lleva a cabo el médico en el reconocimiento de Inés?

_____

3. Según el médico, ¿qué podría pasarle a Inés si no se cuida?

_____

4. ¿Qué consejos le da el médico a Inés para recuperarse?

_____

2. Aquí tienes una lista de palabras que aparecen en la conversación. Clasifícalas en: síntomas, enfermedades o tratamientos.

toser   DESCANSAR   dolor de cabeza

resfriado   MEDICARSE

cansancio   BEBER AGUA

IRRITACIÓN DE GARGANTA   GRIPE

Síntomas	Enfermedades	Tratamientos
_____	_____	_____
_____	_____	_____
_____	_____	_____
_____	_____	_____

3. Habla con tu compañero y explícale cuál es la diferencia entre un síntoma, una enfermedad y un tratamiento.

4. ¿Te acuerdas de las tres formas para dar consejos? Si no es así, consulta la página 47. Aquí tienes los dibujos de tres personas y el nombre de la enfermedad que padecen; dales consejos para recuperarse lo más pronto posible.

Blanca   *Andrés*   *Eva*

obesidad   **acné**   **gastroenteritis**

Ejemplo: *Blanca, yo en tu lugar no **comería** tantas grasas* (condicional).
*Blanca, **haz** más ejercicio y **come** menos dulces* (imperativo).
*Blanca, **te aconsejo que sigas** una dieta más equilibrada* (subjuntivo).

1. Blanca
   _____
   _____
   _____

2. Andrés
   _____
   _____

3. Eva

_____

_____

_____

UNIDAD 7
¡TODO EL MUNDO A TRABAJAR!

🎧 Pista 56 Fran, Susana y Antonia tienen tres profesiones muy diferentes. Escucha la descripción que cada uno de ellos hace de su ocupación y haz las siguientes actividades.

1. ¿Has entendido bien a qué se dedican estas tres personas? Completa el siguiente cuadro con la información que acabas de escuchar.

	Edad	Profesión	Años de experiencia en su último trabajo	Estudios realizados
Fran				
Susana				
Antonia				

2. 👥 ¿Recuerdas cómo podemos hablar de nuestros sueños o expectativas futuras? Si no te acuerdas, consulta la página 51. Habla con tu compañero y cuéntale lo que te gustaría hacer cuando termines tus estudios.

UNIDAD 8
¡A MOVERSE!

🎧 Pista 57 Nati tiene un pequeño problema. Escucha la conversación que tiene con su amiga Lucía y haz las siguientes actividades.

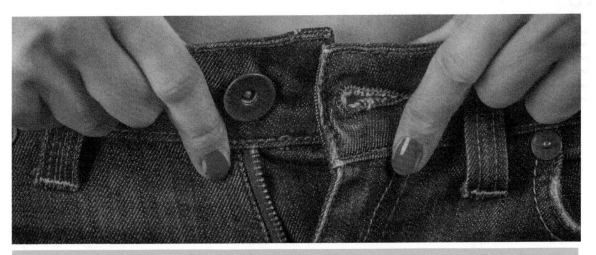

1. Escoge la respuesta adecuada.

1. Estas navidades Nati ha engordado...

   a) dos kilos.
   b) cuatro kilos.
   c) tres kilos.

2. Lucía ha perdido dos kilos practicando aeróbic y, además, ...

   a) no ha dejado de comer y ha reforzado la musculatura.
   b) come más y está más ágil.
   c) le gusta y se siente más fuerte.

3. Nati no quiere practicar aeróbic porque...

   a) no sabe cómo se hace.
   b) es aburrido y, además, ella no tiene sentido del ritmo.
   c) no tiene un lugar donde practicarlo.

4. A Nati le gustan los deportes de equipo porque le gusta...

   a) la competitividad.
   b) el juego.
   c) la integración con el resto de los jugadores.

5. En el barrio de Lucía hay...

   a) un gimnasio.
   b) una asociación deportiva.
   c) un club deportivo.

2. ¿Conoces todas las palabras de esta conversación? Escúchala de nuevo y relaciona cada palabra de la columna izquierda con una de la derecha.

Pista 57

1. Reforzar	a) Gimnasio
2. Practicar	b) Balonmano
3. Deporte en equipo	c) Perder
4. Competitividad	d) Debilitar
5. Capitana	e) Hacer
6. Ganar	f) Campeonato
7. Liguilla	g) Líder
8. Centro deportivo	h) Rivalidad

¿QUÉ MÚSICA LLEVAS EN TU MP3?

unidad 9

OBJETIVOS

- Hablar de gustos musicales.
- Concertar citas para acudir a un acontecimiento musical.
- Conocimiento de la música y folclore tradicional español y vocabulario perteneciente a este campo semántico.

PRIMERA PARTE

A.¿Qué tipo de música escuchas?

Hablar de gustós musicales

Pista 58

1. Escucha la conversación que mantienen Sara, Martín y Laura acerca de sus gustos y aficiones musicales. Después, responde a las siguientes preguntas.

1. ¿Qué está escuchando Sara?
   _____

2. ¿Qué está escuchando Martín?
   _____

3. ¿Qué tipo de música escucha Martín normalmente?
   _____

4. ¿Cree Sara que la música pop es el mejor tipo de música?
   _____

5. ¿Por qué tipo de música siente predilección Laura?
   _____

Pista 59

2. Escucha la conversación de Sara y Martín y di si son verdaderas (V) o falsas (F) las siguientes afirmaciones.

1. A Sara le gusta leer la revista *Súper Pop*. ____

2. A Martín también le gusta leer la revista *Súper Pop*. ____

3. A Sara no le gusta la revista *Mondo Sonoro*, porque es demasiado técnica. ____

4. Una de las secciones de la revista *Súper Pop* es el horóscopo. ____

5. La revista *Mondo Sonoro* tiene una sección de cine. ____

3. Lee la transcripción del diálogo en la página 122 y relaciona cada palabra con su significado.

1. Entrevista	a) Persona que actúa profesionalmente ante un público tocando algún instrumento o cantando.
2. Tocar	b) Composición formada por letra y música.
3. Instrumento	c) Serie de actuaciones sucesivas de un grupo musical en distintas localidades.
4. Gira	d) Conjunto de piezas dispuestas para emitir sonidos musicales.
5. Grupo	e) Hacer preguntas a alguien con el fin de obtener información sobre su persona.
6. Canción	f) Conjunto de personas que interpreta algún tipo de música.
7. Artista (musical)	g) Espectáculo musical en el que se interpretan distintas composiciones.
8. Concierto	h) Hacer sonar un instrumento musical.

B. ¿Te vienes a un concierto?

Asistir a un acontecimiento musical

1. A Martín le han regalado tres entradas para un concierto en Salamanca. Escucha la conversación y responde a las preguntas.

sta 60

1. ¿Cuántas entradas le han tocado a Martín en el sorteo? _____

2. ¿Para qué concierto son las entradas? _____

3. ¿Quiénes van con Martín al concierto? _____

4. ¿Cuándo es el concierto? _____

5. ¿Cómo quedan los chicos? _____

2. Ahora completa las siguientes frases con las palabras que has escuchado en la conversación anterior.

1. A Martín le tocaron tres _____ para el concierto de Sabina.

2. Laura es fan de Sabina desde que era muy _____.

3. A Sara no le gustan mucho sus últimos _____.

4. A Sara le gustaría escuchar los grandes _____ de Sabina.

5. El concierto es el próximo _____ a las diez.

6. A Martín no le gustaría estar en última _____.

7. Los tres amigos quedan a las nueve en la _____ del polideportivo.

GRAMÁTICA

■ ¿Te acuerdas de cómo invitar o quedar con alguien para hacer algo juntos?

Para invitar a alguien		
¿Te *apetece/gustaría* + infinitivo?	¿*Vienes (conmigo) a* + infinitivo/lugar?	¿*Vamos a* + infinitivo/lugar?
¿Te *apetece venir* al cine esta noche?	¿*Vienes (conmigo) a bailar* este sábado?	¿*Vamos a tomar* un café a las cinco?
¿Te *gustaría salir* a tomar una copa mañana?	¿*Vienes (conmigo) al teatro* la próxima semana?	¿*Vamos al museo* este domingo?

Para quedar con alguien	
Quedamos en + lugar a las + hora	*Nos vemos en* + lugar a las + hora
Quedamos en la entrada del teatro a las ocho y media.	*Nos vemos en* la Plaza Mayor a las tres menos cuarto

C. ¿Sabes qué es una jota?

El folclore tradicional

🎧 **1.** **Los padres de Sara son gallegos. En Galicia, como en otras regiones de España, existe una larga tradición de folclore regional.**

Pista 61

Escucha la conversación que mantienen los tres amigos y haz las actividades propuestas.

1. Di si son verdaderas (V) o falsas (F) las siguientes afirmaciones.

1. Galicia es una región en el noreste de España. _____

2. En Galicia solo se habla castellano. _____

3. La "muñeira" y el "chotis" son los bailes tradicionales de Galicia. _____

4. Uno de los instrumentos típicos del folclore gallego es la gaita. _____

5. El baile típico de Cataluña es la "sardana". _____

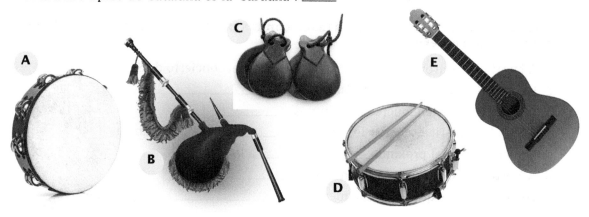

2. ¿Conoces los instrumentos del folclore tradicional español? Aquí tienes dibujos de algunos de ellos. Relaciona la definición con la ilustración apropiada.

1. Instrumento musical de percusión, compuesto de dos mitades cóncavas, hecho de madera u otro material. Es uno de los instrumentos característicos del flamenco.

2. Instrumento musical de percusión, de madera o metal, de forma cilíndrica, hueco, cubierto por sus dos bases con piel estirada, que se toca con dos palillos.

3. Instrumento musical de viento formado por una bolsa de cuero que tiene acoplados tres tubos.

4. Instrumento musical de cuerda compuesto por una caja de resonancia en forma de ocho y cuerdas, generalmente seis, que se hacen sonar con los dedos.

5. Instrumento de percusión formado por un pandero de piel de animal y rodeado de pequeñas piezas metálicas que emiten un sonido al golpear el centro del instrumento con la mano.

A. ¿Qué tipo de música escuchas?

Hablar de gustos musicales

1. Francisco, Sandra, Cristina y Fátima son grandes aficionados a la música. Escucha lo que dicen y completa el siguiente cuadro.

Pista 62

Nombre	Edad	Tipo de música	¿Por qué le gusta esa música?	Grupos favoritos	Aparatos donde la escucha
Francisco					
Sandra					
Cristina					
Fátima					

2. ¿Con cuál de estas cuatro personas te identificas más? ¿Por qué?

_____

3. 🗣 Habla con tu compañero. Responded a las siguientes preguntas.

1. ¿Te gusta escuchar música?

2. ¿Qué tipo de música escuchas normalmente? ¿Por qué te gusta ese tipo de música?

3. ¿Cuáles son tus cantantes favoritos?

4. ¿Cuándo escuchas música?

5. ¿En qué tipo de aparato escuchas música?

🎧 **4.** Vas a escuchar la definición de tres instrumentos musicales. Escribe su nombre debajo de la imagen correspondiente y describe tres características principales.

Pista 63

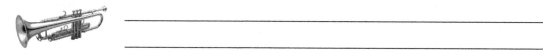
_____
_____

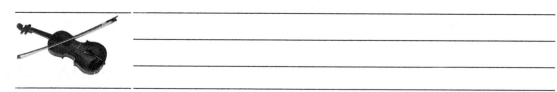
_____
_____

_____
_____

5. 👥 Ahora intenta explicar a tu compañero:

1. Qué es un instrumento de cuerda, de viento y de percusión.

2. El porqué de esta clasificación.

3. Pon ejemplos de cada uno de estos tipos de instrumentos.

B. ¿Te vienes a un concierto?

Asistir a un acontecimiento musical

🎧 **1.** Aquí tienes las fotos de un artista y dos grupos musicales españoles. Escucha la información acerca de sus próximos conciertos y responde a las preguntas.

Pista 64

1. ¿Cuándo se formó el grupo Extremoduro?
_____
2. ¿Puedes mencionar el título de dos canciones suyas?
_____
3. ¿En qué lugar actuarán el 5 de julio?
_____
4. ¿Qué precio tienen las entradas?
_____

5. ¿Qué tipo de música interpreta Joaquín Sabina?
_____
6. ¿Cómo se llama su próxima gira por España?
_____
7. ¿Cuál es el título de su último elepé?
_____
8. ¿Qué día actuará en Granada?
_____
9. ¿Cuánto cuestan las entradas para el concierto?
_____

10. ¿De dónde son originarios "Los del Río"?
_____

11. ¿Cuál es su canción más conocida?
_____

12. Dónde actuarán el próximo 27 de enero?
_____

13. ¿Son las entradas para su concierto más baratas que para el de Extremoduro? ¿Cuánto cuestan?
_____

2. 👥 Habla con tu compañero.

1. ¿A cuál de los tres conciertos te gustaría ir? ¿Por qué?
2. ¿Conoces a algún artista español o latinoamericano?
3. ¿Escuchas normalmente música en español?

C. ¿Sabes qué es una jota?

El folclore tradicional

1. 👥 ¿Cuánto sabéis de música española?

Cada uno de vosotros tiene cinco preguntas que deberá formular a su compañero. Gana el que más respuestas correctas tenga al final del quiz.

Alumno1	Alumno 2
1. Menciona tres tipos de música.	1. Di el nombre de un cantautor.
2. Nombra tres cantantes españoles.	2. Di el título de la canción en español más famosa.
3. Canta el estribillo de una canción en español.	3. Nombra al cantante español más conocido en el extranjero.
4. Di el título de cuatro canciones latinoamericanas.	4. Menciona a un cantaor de flamenco
5. Menciona un grupo de rock español.	5. Nombra una emisora de radio española en la que puedes escuchar música.

2. Aquí tienes unas expresiones idiomáticas. Léelas y une cada una de ellas con su significado correspondiente.

Ya está aquí el pesado de Marcos; no entiende que estoy harta de escuchar siempre sus historias y que quiero que *se vaya con la música a otra parte*.

Convencer a mi padre para que me deje salir hasta las cinco de la mañana es como *dar música a un sordo*; es imposible hacerle cambiar de opinión.

He ido a visitar a María al hospital; ella parecía estar muy tranquila y alegre, pero estoy segura de que *la música va por dentro*.

Expresión	Significado
1. *Enviar/Mandar con la música a otra parte.*	a) Aparentar tranquilidad en situaciones de cólera, pena o inquietud.
2. *Dar música a un sordo.*	b) Trabajar para persuadir a alguien sin ningún resultado.
3. *La música va por dentro.*	c) Despedir a alguien que viene a incomodar o con impertinencias.

¿QUÉ PONEN EN LA TELE HOY?

unidad 10

OBJETIVOS

- Conocer a los compañeros de clase.
- Identificar los objetos de la clase.
- Completar un mapa de hispanoamérica.

PRIMERA PARTE

A. ¿Has leído lo que ha pasado en Barcelona?

Los periódicos

1. Laura, Martín y Sara hablan de los distintos tipos de periódicos españoles. Escucha la conversación de los tres amigos y responde a las preguntas.

Pista 65

1. ¿Qué está leyendo Sara en el momento en el que llegan sus amigos?
   _____

2. ¿Qué es *Babelia*?
   _____

3. Menciona, al menos, dos secciones del suplemento cultural del periódico *El País*.
   _____

4. ¿Por qué a Sara le gusta leer *El País*?
   _____

5. ¿Qué periódico lee Martín?
   _____

6. ¿Por qué a Laura le gusta leer *El Mundo*?
   _____

2. Esta mañana Martín ha leído una noticia muy interesante en el periódico acerca de la situación del español en China. Escucha la conversación y di si son verdaderas (V) o falsas (F) las siguientes afirmaciones.

1. En China no hay ningún interés por aprender español. ____

2. El Instituto Cervantes tiene como objetivo difundir la lengua y la cultura hispana por el resto del mundo. ____

3. En China el español está en una mala situación con respecto a otros idiomas. ____

4. Actualmente el español se imparte en 25 facultades. ____

5. En la universidad de Pekín han aceptado a 400 estudiantes chinos. ____

6. El Instituto Cervantes de Pekín es uno de los más grandes que tiene esta institución. ____

7. El próximo año se abrirá un nuevo Instituto Cervantes en Shanghai. ____

3. Escucha de nuevo la conversación del ejercicio anterior y complétala con las palabras que faltan.

Martín: ¿Sabéis que en China hay mucho interés por el español?

Sara: ¿En serio? ¿Por qué lo sabes?

Martín: Esta mañana he leído un _____ en el periódico, que hablaba de la inauguración del primer Instituto Cervantes en Pekín.

Laura: ¿Qué es el Instituto Cervantes?

Martín: Es una _____ española que tiene como objetivo difundir la lengua y la cultura _____ en el resto del mundo.

Sara: ¿Cómo es la situación del español en un país tan diferente como China?

Martín: Según el artículo, la situación ha mejorado, pero todavía el español mantiene una posición muy _____ con respecto a otros idiomas.

Laura: ¿En cuántos centros se imparte español?

Martín: Actualmente se _____ en 20 facultades, 6 escuelas secundarias y algunas academias privadas.

Sara: Eso no es mucho, ¿verdad?

Martín: No, el artículo dice que este año, por ejemplo, se quisieron _____ para estudiar español en la universidad de Pekín 400 estudiantes chinos, pero solo aceptaron a 44.

Laura: Entonces... la demanda es mucho mayor que la _____, ¿no es así?

Martín: Sí, por eso el Instituto Cervantes de Pekín es el más grande del organismo; tiene 3000 metros cuadrados y _____ plantas, y se prevé la apertura de un nuevo centro en Shanghai el año próximo.

Sara: ¿Por qué se ha abierto ahora un instituto en Pekín?

Martín: En un principio las autoridades chinas se mostraron _____, pero el creciente interés de Pekín por Latinoamérica y la entrevista del presidente de España con el de China han dado el impulso definitivo.

Sara: Me alegro mucho de que el español se vaya abriendo _____ en el extranjero, ¡incluso en China!

B. ¿Y tú, qué emisora escuchas?

La radio

1. A Laura siempre le ha interesado el mundo de la radio. Para una asignatura de la carrera de Periodismo ha elaborado una reseña sobre la actriz y cantante Leonor Watling. Escúchala y completa las oraciones.

Pista 67

1. La madre de Leonor Watling es de nacionalidad _____.

2. Leonor ha rodado películas en distintos idiomas: _____, _____ y _____ son algunos de ellos.

3. La película *Malas temporadas* ha sido rodada en _____.

4. Marlango es el _____ de Leonor Watling.

5. *Automatic Imperfection* será el _____ disco de Marlango.

C. ¿Por qué no cambias de canal?

La televisión

1. Laura, Martín y Sara están hablando de lo que les gusta ver en la televisión. Escucha su conversación y completa el siguiente cuadro, siempre que sea posible.

Pista 68

	¿Qué programas le gustan?	¿Por qué le gustan?	¿Qué programas no le gustan?	Título de un programa que le gusta
Sara				
Martín				
Laura				

2. Fíjate en las siguientes palabras, extraídas de la conversación anterior. ¿Conoces el significado de todas ellas? Une cada tipo de programa con su posible título y, a continuación, explica el porqué de tu elección.

1. Concurso   a) La loba herida   _____
2. Magazín   b) Tardes con Ana   _____
3. Telediario   c) La vida submarina   _____
4. Documental   d) Saber y ganar   _____
5. Serie   e) Los Serrano   _____
6. Telenovela   f) La 2 – noticias   _____

SEGUNDA PARTE

A. ¿Has leído lo que ha pasado en Barcelona?

Los periódicos

sta 69

1. Vas a escuchar un resumen de cuatro noticias de prensa. Relaciona cada una de ellas con su título. ¡Cuidado, sobra un título!

A. *MySpace* venderá la música de su caudal en la red. _____

B. La Rioja alavesa estrena el hotel diseñado por Frank Gehry. _____

C. El Congreso Internacional de Cardiología arranca con ovaciones a la ley antitabaco. _____

D. El "jefe" toma conciencia folk. _____

E. El mayor timo de la historia. _____

sta 69

2. Escucha de nuevo las noticias y completa el siguiente cuadro con tres palabras que hayas oído y que te han ayudado a reconocer sus títulos.

3. ¿Cuál es el título que no se corresponde con ninguna de las noticias escuchadas? Escribe la posible noticia que podría estar detrás de este título.

	Noticia 1	Noticia 2	Noticia 3	Noticia 4
Título				
Palabras				

Título: _____
_____
_____
_____
_____

B. Y tú, ¿qué emisora escuchas?

La radio

1. **Vas a escuchar tres fragmentos pertenecientes a tres programas de radio diferentes. Escribe la temática de cada uno de ellos justificando tu respuesta.**

Pista 70

Programa 1. _____

_____

_____

_____

Programa 2. _____

_____

_____

Programa 3. _____

_____

_____

2. **Ahora busca un título atractivo para cada uno de estos programas.**

Programa 1. _____

Programa 2. _____

Programa 3. _____

3. **Escucha de nuevo el programa 1 y escribe si son verdaderas (V) o falsas (F) las siguientes afirmaciones.**

Pista 70

1. Pau Gasol es uno de los futbolistas más importantes de España. ____

2. La rotura del dedo de la mano de Gasol ha estropeado su sueño de jugar la final de un mundial. ____

3. El equipo de Grecia es el actual campeón olímpico. ____

4. Gasol ha visto la final contra Grecia desde el banquillo. ____

5. Gasol dice que el juego en equipo de Grecia no es bueno. ____

4. **Ahora escucha el programa 2 y responde las siguientes preguntas.**

Pista 70

1. ¿Cómo se titula la última película del director español Pedro Almodóvar?

_____

2. ¿En qué festival de cine ha sido presentada la película por primera vez?

_____

3. ¿Quiénes van al estreno de la película en los cines "Lumiere" de Madrid?

5. Escucha de nuevo el programa 3 y completa el texto con las palabras que faltan.

sta 70

Hola, muy buenas tardes y bienvenidos todos. Hoy os traemos _____ muy, pero que muy jugosas; no os las perdáis.

Empezamos con el _____ musical del año. Esta noche los Rolling Stones darán su único concierto en España, en el Palacio de los Deportes de Madrid. Las 15 000 entradas que se pusieron a la _____ el pasado mes de septiembre están _____; los afortunados podrán escuchar a Mick Jagger y su banda, que interpretarán canciones de su último disco, pero que también recordarán sus grandes clásicos.

La famosa actriz española Penélope Cruz ha iniciado el _____ de su nueva película estrenando nuevo amor. Los _____ dicen que se trata del galán de Hollywood Matthew McConaughey. Después de haber roto con Tom Cruise, Pe, que así es conocida la actriz en los Estados Unidos, parece haber encontrado la felicidad al lado del _____ de películas como *Planes de boda* o *Sáhara*.

Para terminar, una noticia que pone de luto a toda España... La gran _____ Rocío Jurado ha fallecido esta mañana a los 60 años de edad, a consecuencia de un cáncer de páncreas que le fue descubierto hace apenas un año. A pesar de los tratamientos seguidos en un prestigioso hospital en Houston, la enfermedad ha podido con la _____.

El funeral será mañana miércoles en la catedral de La Almudena, en Madrid.

Bien, esto ha sido todo por hoy. Mañana a las cinco _____ de nuevo con todos ustedes. ¡Hasta mañana!

C. ¿Por qué no cambias de canal?

La televisión

1. 👥 **Habla con tu compañero. Leed y contestad a las siguientes preguntas.**

1. ¿Ves mucho la tele? ¿Qué programas te gustan más? ¿Por qué?

2. ¿Te gusta escuchar la radio? ¿Qué emisora escuchas?

3. ¿Has participado alguna vez en un programa de radio o televisión? ¿En cuál? ¿Cómo fue?

¿QUÉ TAL HA IDO TODO?

OBJETIVOS

- Describir hechos del pasado reciente (pretérito perfecto).
- Presentar hechos pasados ya terminados (pretérito indefinido).
- Describir acciones habituales en el pasado (pretérito imperfecto).

PRIMERA PARTE

A. ¿Qué hemos aprendido este curso?

El pasado reciente

1. Sara, Martín y Laura han aprendido muchas cosas durante este curso. Escucha su conversación y responde a las siguientes preguntas.

Pista 71

1. ¿Con qué asignatura está Martín descontento?

   _____

2. ¿Qué le ocurrió al señor Martínez?

   _____

3. Los tres chicos han tenido una profesora muy tímida. ¿Cuál era su apellido? ¿Qué le ocurría si un alumno le hacía una pregunta?

   _____

4. ¿Qué ha aprendido Martín en la asignatura de "Competencias escritas"?

   _____

5. ¿Quién era la profesora de "Competencias escritas"? ¿Cómo era?

   _____

6. ¿Han conseguido Sara y Laura convencer a Martín de que no ha sido un año tan malo?

   _____

- El **pretérito perfecto** es un tiempo que sirve para expresar acciones pasadas. Es un pasado conectado con el presente, es un pasado reciente.

- El pretérito perfecto se usa:

  – Con palabras como: ***hoy, esta semana, este mes, este año, estas vacaciones...***

    Hoy **hemos estudiado** mucho para el examen.

  – Cuando no se menciona el momento en el que ha ocurrido algo en el pasado.

    He estado en África tres veces.

- El pretérito perfecto se forma con el presente de indicativo del verbo *haber* + el participio correspondiente al hecho terminado.

  Participios regulares:

  habl-ar → **-ado**   beb-er → **-ido**   viv-ir → **-ido**

He		Hemos	
Has	+ hablado/bebido/vivido	Habéis	+ hablado/bebido/vivido
Ha		Han	

B. ¿Qué hiciste ayer?

El pasado cerrado

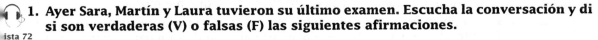

1. Ayer Sara, Martín y Laura tuvieron su último examen. Escucha la conversación y di si son verdaderas (V) o falsas (F) las siguientes afirmaciones.

ista 72

1. A Martín le encantan los días anteriores al examen. _____

2. Martín se levantó a las 6.30 para estudiar un tema nuevo y repasar los anteriores. _____

3. A Martín le faltaba un artículo, que no tenía fotocopiado. _____

4. Martín llamó por teléfono a Laura para poder fotocopiar su artículo. _____

5. El artículo era muy largo y aburrido. _____

6. A las 3.00 Martín salió a hacer la compra al supermercado. _____

7. Martín preparó un plato de pasta delicioso. _____

8. Después de tanto ajetreo, Martín llegó diez minutos tarde al examen. _____

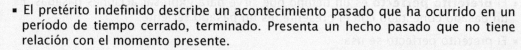

- El pretérito indefinido describe un acontecimiento pasado que ha ocurrido en un período de tiempo cerrado, terminado. Presenta un hecho pasado que no tiene relación con el momento presente.

- El pretérito indefinido se usa con palabras como: ***ayer, la semana pasada, el mes pasado, el año pasado, en 1994...***

  Ayer **comimos** pollo con patatas.

  El mes pasado **compré** un coche nuevo.

- El pretérito indefinido de verbos regulares se conjuga de la siguiente manera:

HABLAR	BEBER	VIVIR
habl**é**	beb**í**	viv**í**
habl**aste**	beb**iste**	viv**iste**
habl**ó**	beb**ió**	viv**ió**
habl**amos**	beb**imos**	viv**imos**
habl**asteis**	beb**isteis**	viv**isteis**
habl**aron**	beb**ieron**	viv**ieron**

2. Aquí tienes la transcripción de la conversación de los tres chicos. Subraya los verbos en pretérito indefinido y da su correspondiente infinitivo. Después, intenta explicar el porqué de su uso.

Sara: ¡Uff! ¡Por fin se ha acabado el examen! Ayer pensé que me moría.

Martín: Sí, ayer también fue un día muy estresante para mí, odio las vísperas de examen. Me levanté a las seis y media de la mañana para estudiar un par de temas nuevos y poder repasar los anteriores.

Laura: Eso te pasa por dejarlo todo para el último momento. Pero... el examen fue a las cinco de la tarde: ¿Qué hiciste hasta esa hora?

Martín: Estudié hasta las doce y después me di cuenta de que me faltaba leer un artículo que, además, no tenía fotocopiado.

Sara: Sí, esa parte la conozco... Martín me llamó por teléfono todo nervioso y me pidió si podía fotocopiar mi artículo; yo estaba estudiando y tampoco tenía mucho tiempo, pero quedamos a la una y media, nos tomamos un café rápido y fotocopiamos el artículo.

Martín: Así fue, a eso de las dos empecé a leer el maldito artículo que, además de aburrido, era largísimo; acabé sobre las tres y media con un hambre de locos, pero... ¡no tenía nada en la nevera! Salí corriendo al supermercado para hacer un poco de compra y, de vuelta en casa, me preparé un plato de pasta, que, para ser sinceros, no estaba muy bueno.

Sara: Y...

Martín: Y nada, después de comer corrí a la facultad y llegué cinco minutos tarde al examen. El resto de la historia ya la conocéis.

C. ¿Cómo era tu vida antes?

El pasado habitual

1. Sara recuerda con sus amigos cómo era su vida antes de empezar Periodismo en la universidad. Pon atención a lo que dicen y marca en esta lista lo que hacía Sara todos los lunes.

Pista 73

Sara los lunes...

1. Se levantaba a las 8.30. _____
2. Desayunaba un café con leche y unas galletas. _____
3. Siempre iba en autobús al instituto. _____
4. Empezaba las clases a las 9.00. _____
5. Nunca tenía problemas con la profesora de Inglés. _____
6. A la 1.00 tenía una pausa. _____
7. A las 2.30 se iba a casa a comer. _____
8. A las 6.00 terminaba las clases. _____
9. Después de clase se iba a tomar un café con sus amigos. _____

GRAMÁTICA

- El **pretérito imperfecto** se usa:
  - En descripciones de personas o cosas del pasado.

    *Mi primera bicicleta **era** muy mala. La cadena se **desmontaba** constantemente y los frenos no **funcionaban**.*

- Presentación de acciones pasadas habituales o regulares.

  - *Cuando **era** pequeña mi madre me **llevaba** todos los días al parque, allí siempre **jugaba** con mis amigas y lo **pasábamos** en grande.*

- El pretérito imperfecto se conjuga de la siguiente manera:

HABLAR	BEBER	VIVIR
hablaba	bebía	vivía
hablabas	bebías	vivías
hablaba	bebía	vivía
hablábamos	bebíamos	vivíamos
hablabais	bebíais	vivíais
hablaban	bebían	vivían

2. **Lee la transcripción de la conversación y subraya todos los verbos en pretérito imperfecto. A continuación intenta explicar la razón por la cual estas acciones están en esta forma verbal.**

Sara: Ahora que ya se ha acabado este año académico, recuerdo cómo era mi vida antes de empezar la universidad.

Laura: Y... ¿cómo era?

Sara: Bueno, la verdad es que era bastante aburrida, si la comparo con mi vida de universitaria. Vivía con mis padres, y eso ya trae consigo una serie de normas y reglas que no me gustaba mucho seguir.

Martín: ¿Qué hacías en un día normal, por ejemplo, los lunes?

Sara: Pues... los lunes me levantaba siempre a las ocho y, como siempre, me quedaba remoloneando, mi madre tenía que venir a sacarme de la cama. Desayunaba un café con leche y un par de galletas y salía pitando para el instituto.

Laura: ¿Cómo ibas al instituto?

Sara: Iba andando, aunque estaba un poco lejos; siempre me ha gustado caminar y, además, así me iba despejando por el camino.

Martín: ¿Cuántas horas de clase tenías por la mañana?

Sara: La clase empezaba a las nueve, siempre con inglés; me acuerdo de que la profesora era una señora británica de unos 50 años y muy estricta con la puntualidad; yo tuve más de un problema con ella. A las doce teníamos una pausa de media hora y, después, dos horas más de clase.

Laura: ¿Ibas a comer a casa?

Sara: Sí, teníamos libre hasta las cuatro y media y yo me iba a casa a comer.

Martín: ¿A qué hora salíais del instituto por la tarde?

Sara: A las seis terminaban las clases y yo me iba directamente a casa, porque a mis padres no les gustaba que me quedara por ahí; no podía hacer nada, solamente estudiar y estudiar. ¡Me alegro mucho de ser universitaria!

SEGUNDA PARTE

A. ¿Qué hemos aprendido este curso?

El pasado reciente

Pista 74

1. Esta semana Mercedes y Javier han estado muy ocupados. Escucha lo que dicen y contesta a las siguientes preguntas con frases completas, utilizando el pretérito perfecto.

Ejemplo: ¿A qué hora se ha levantado esta semana Mercedes?
*Mercedes se **ha levantado** todos los días a las 7.00.*

Mercedes:

1. ¿Por qué ha tenido una semana de locos?

    _____

2. ¿Desde qué hora hasta qué hora ha estado trabajando?

    _____

3. ¿De qué aspectos del congreso ha tenido que preocuparse?

    _____

4. ¿Cómo ha resultado el congreso finalmente?

    _____

Javier:

5. ¿Por qué ha estado estresado durante toda esta semana?

    _____

6. ¿A qué hora se ha levantado todos los días?

    _____

7. ¿Qué ha hecho por las tardes?

_____

8. ¿Cómo le ha salido el examen?

_____

2. 👥 **Habla con tu compañero y cuéntale lo que has hecho esta semana.**

B. ¿Qué hiciste ayer?

El pasado cerrado

ista 75

1. **Escucha atentamente lo que hizo Alejandro ayer y completa el texto con la forma correcta del pretérito indefinido.**

Ayer _____ a las 9.00, me di una ducha rápida, _____ y salí de casa a las 9.30. Llegué a la oficina a las 10.00 y _____ un café con mi colega Fernando. A eso de las 10.30 me puse a trabajar y _____ un montón de asuntos pendientes. A las 2.00 me _____ a la reunión y a las 4.00 llegué a casa para comer. Por la tarde llegué a la oficina a las 6.00 y _____ hasta las 8.00. Al terminar _____ con unos amigos a tomarnos unas cañas y volví a casa a las 10.00.

2. 👥 **Ahora cuéntale a tu compañero lo que hiciste ayer.**

C. ¿Cómo era tu vida antes?

El pasado habitual

sta 76

1. **Eva nos cuenta lo que hacía todos los domingos cuando era pequeña. Escucha lo que dice y escribe cinco de las actividades que menciona. Utiliza el pretérito imperfecto.**

Ejemplo: *Todos los domingos Eva **iba** con su padre a desayunar al bar de la tía Pepa.*

1. _____

2. _____

3. _____

4. _____

5. _____

2. 👥 **¿Te acuerdas de los domingos de tu infancia? Cuéntale a tu compañero lo que solías hacer ese día cuando eras pequeño.**

BLOQUE 3

unidad 12

NOS VAMOS DE VIAJE. ¿VIENES?

OBJETIVOS

- Planear un viaje.
- Disponer los preparativos de un viaje.
- Desenvolverse en situaciones cotidianas durante las vacaciones.

PRIMERA PARTE ▼

A. ¡Por fin llegaron las vacaciones! ¿Adónde vamos?

Planeando el viaje

🎧 Pista 77

1. El curso académico ha terminado y Sara, Martín y Laura planean las vacaciones de verano. Escucha su conversación y di si son verdaderas (V) o falsas (F) las siguientes afirmaciones.

1. Sara ha suspendido dos asignaturas. _____

2. Martín ha aprobado todo. _____

3. Sara quiere ir de vacaciones a Asia. _____

4. Martín no quiere ir a Asia, porque está muy lejos. _____

5. Sara ya ha visitado Inglaterra e Italia. _____

6. Laura propone ir a Holanda de vacaciones. _____

7. A Laura le gustaría visitar los museos holandeses. _____

8. Sara no está de acuerdo con las vacaciones en Holanda. _____

2. Escucha de nuevo la conversación y une cada palabra o expresión con su definición o sinónimo apropiado.

ista 77

1. Resultados.

2. Aprobar.

3. Quedar (asignaturas).

4. Asignaturas.

5. Estar sin blanca.

6. Entusiasmar.

a) Suspender.

b) No tener ningún dinero o muy poco.

c) Notas.

d) Encantar.

e) Materias.

f) Pasar.

3. Aquí tienes la transcripción de la conversación que acabas de escuchar. Sustituye las palabras entre paréntesis por su correspondiente sinónimo.

Sara: ¡Hola, chicos! Acabo de ver (los resultados) _____ de las últimas asignaturas y... ¡he (aprobado) _____ todo! Así que me merezco unas buenas vacaciones de verano. ¿Venís conmigo?

Laura: Yo también he aprobado todo. La verdad es que me apetece mucho irme con vosotros un par de semanas fuera de la ciudad.

Martín: A mí me han (quedado) _____ dos asignaturas para septiembre, así que voy a tener que estudiar un poquito, pero... un par de semanas fuera de la facultad no me vendrán mal.

Sara: ¡Genial! ¿Adónde vamos? A mí me gustaría irme muy lejos..., ¡a Asia! Por ejemplo...

Martín: A mí también me encantaría, Sarita, pero es carísimo y yo (estoy sin blanca) ___
_____.

Laura: Propongo irnos a algún país europeo; ¿qué os parece?

Sara: ¡Por mí vale! Yo ya he estado en Inglaterra y Francia y, aunque no me importaría volver, prefiero conocer lugares nuevos.

Martín: ¿Qué os parece Holanda? Siempre he soñado con visitar el conocido país de la tolerancia.

Laura: A mí me parece una buena idea; nunca he estado en Holanda y creo que tiene museos muy interesantes, que me gustaría ver.

Sara: ¡Me (entusiasma) _____ la idea! Los quesos, tulipanes, drogas blandas, molinos... ¡vamos!

Martín: ¡Bien! Pues todos de acuerdo, este verano nos vamos a ¡Holanda!

B. ¿Preparados? ¡Nos vamos!

Los preparativos

ista 78

1. La decisión está tomada: Laura, Sara y Martín se van de vacaciones a Holanda. Escucha la conversación que mantienen acerca de los preparativos y completa las oraciones con las siguientes palabras.

oferta

alojamiento

maleta

preparativos

plazas

reservar

albergue juvenil

billetes

1. Hemos tardado demasiado en comprar los billetes y ahora ya no quedan _____ libres.

2. ¿Has preparado la _____? ¡Nos vamos mañana!

3. He encontrado una _____ especial y los _____ de avión me han salido baratísimos.

4. ¿Qué tipo de _____ preferís: camping, hotel o _____?

5. Todos los _____ para el viaje ya están listos.

6. Voy a _____ las habitaciones del hotel esta misma noche, de lo contrario seguro que ya no hay sitio.

2. ¿Has comprendido bien la conversación de los chicos? Escúchala de nuevo y responde a las siguientes preguntas.

Pista 78

1. ¿Por qué Sara todavía no ha preparado la maleta?

_____

2. Laura cree que es buena idea empezar con los preparativos del viaje. ¿Por qué?

_____

3. ¿Quién se encargará de reservar los billetes?

_____

4. ¿Le gusta a Laura el camping? ¿Por qué?

_____

5. ¿Cuál es la solución intermedia?

_____

6. ¿Quién se encarga de reservar las habitaciones? ¿Por cuántas noches?

_____

C. ¡Ya llegamos!

El destino

1. Los chicos han llegado hace un par de días a Ámsterdam y ahora están dando un paseo por la ciudad. Escucha su conversación y elige la opción correcta.

1. A Laura Ámsterdam le parece una ciudad preciosa por...

    a) sus canales, pequeños barrios y museos.

    b) sus canales, plazas y museos.

    c) sus pequeños barrios, canales y restaurantes.

2. A Martín lo que más le ha gustado ha sido el parque de Vondel, porque...

    a) es muy grande y tiene muchos árboles y fuentes.

    b) es pequeño, acogedor y la atmósfera es relajante.

    c) es enorme y tiene lagos y fuentes.

3. Lo que más le ha llamado la atención a Sara han sido...

    a) los parques.

    b) las bicicletas.

    c) los museos.

4. ¿En qué visita acompañará Sara a Martín?

    a) En la visita a la casa de Anna Frank y al museo de la cerveza.

    b) En la visita al museo de la cerveza y al mercado del norte.

    c) En la visita a la casa de Anna Frank y al museo de Rembrandt.

5. ¿Qué cosas se venden en el mercado del norte?

    a) Bicicletas, ropa de segunda mano, quesos y flores.

    b) Música, productos biológicos, pescado y ropa.

    c) Ropa de segunda mano, música, libros y productos biológicos.

2. ¿Sabes ya qué quiere visitar cada uno de los chicos? Escucha de nuevo la conversación y une cada personaje con los lugares que tiene planeado ver.

SEGUNDA PARTE

A. ¡Por fin llegaron las vacaciones! ¿Adónde vamos?

Planeando el viaje

🎧 **Pista 80**

1. Sofía, Javier y Amparo son personas muy distintas. A los tres les encanta ir de vacaciones, pero a lugares muy diferentes. Escucha lo que dicen y relaciona a cada uno de ellos con las palabras que mejor definirían sus vacaciones ideales.

Sofía

Javier

Amparo

sol – naturaleza – arquitectura – música – playa – safari – dormir – museos
isla del Caribe – animales salvajes – ciudad – sabana africana – relax

2. 👥 **Habla con tu compañero.**

- ¿Cuál de los tres tipos de vacaciones te gusta más? ¿Por qué?
- ¿Cuáles han sido las vacaciones más bonitas que has tenido?
- ¿Adónde y cómo es tu viaje soñado?

B. ¿Preparados? ¡Nos vamos!

Los preparativos

🎧 **Pista 81**

1. La próxima semana el señor García se va de vacaciones con su mujer y su hija. Escucha la conversación que mantiene con la recepcionista del hotel y completa las oraciones siguientes con las palabras y expresiones del recuadro.

precio — habitación doble — habitación individual — ¿En qué puedo ayudarle? — reservar — fechas — pensión completa

1. Hotel La Gruta, buenos días. _____

2. Del 15 al 20 de julio tenemos habitaciones libres. ¿Le van bien estas _____?

3. El _____ de la habitación es de 70 euros por noche.

4. Me gustaría _____ dos habitaciones para el 25 de junio.

5. Quería reservar una _____ para mi mujer y para mí.

6. ¿Les gustaría también comer y cenar en el hotel? En ese caso les reservo una habitación con _____.

7. Viaja usted solo, ¿no? En ese caso le reservo una _____.

2. ¿Has entendido bien la conversación del señor García con la recepcionista del hotel? Escúchala de nuevo y completa el siguiente cuadro.

pista 81

	Reserva del señor García
Tipo de habitaciones	
Fechas de la reserva	
Pensión	
Precio	

3. 👥 Habla con tu compañero. Imagina que tú eres el/la recepcionista del hotel La Macarena e inventa un diálogo con tu compañero en el que:

a) Reserves una habitación individual.

b) Durante cuatro días.

c) Con media pensión.

d) La más barata.

C. ¡Ya llegamos!

El destino

1. Marta está en la taquilla del museo del Prado en Madrid. Escucha la conversación que mantiene con la taquillera y di si son verdaderas (V) o falsas (F) las siguientes afirmaciones.

pista 82

1. La entrada combinada para no estudiantes cuesta 10 euros. _____

2. La entrada para ver la colección permanente cuesta 6 euros. _____

3. Hay descuento para estudiantes. _____

4. El precio de la entrada combinada para estudiantes es de 6 euros. _____

5. Finalmente Marta compra una entrada para ver sólo la colección permanente. _____

UNIDAD 9
¿QUÉ MÚSICA LLEVAS EN TU MP3?

🎧 Pista 83   **Estela y Alberto tocan en la banda municipal de su pueblo. Escucha su conversación y haz las actividades propuestas.**

1. Responde a las siguientes preguntas relacionadas con la conversación que acabas de escuchar.

1. ¿Por qué el ensayo de esta semana ha sido duro, según Alberto?

   _____

2. ¿Qué dos cosas de tocar en la banda son las que más le gustan a Estela?

   _____

3. ¿Qué instrumento toca Alberto? ¿Qué es lo que le gusta de él?

   _____

4. ¿Desde cuándo toca Estela el tambor?

   _____

5. ¿En dónde le gustaría tocar a Estela en el futuro? ¿Y a Alberto?

   _____

2. Escucha de nuevo la conversación y une cada palabra con la definición o explicación adecuada.

Pista 83

1. Ensayar
2. Canción
3. Tocar
4. Banda
5. Instrumento
6. Sonido
7. Clarinete
8. Tambor
9. Sonido grave
10. Batería

a) Conjunto de piezas dispuestas para producir sonidos musicales.
b) Sensación recibida por el oído.
c) Instrumento musical de viento.
d) Antónimo de "sonido agudo".
e) Conjunto de músicos que interpreta música popular.
f) Instrumento musical de percusión.
g) Composición en verso con música y letra.
h) Hacer sonar un instrumento musical.
i) Practicar algo repetidas veces.
j) Conjunto de instrumentos de percusión.

3. Habla con tu compañero. El próximo sábado tu grupo favorito da un concierto en tu ciudad. Invita a tu compañero para ir juntos.

UNIDAD 10
¿QUÉ PONEN EN LA TELE HOY?

Son las nueve de la noche y están dando las noticias por la tele. Escúchalas atentamente y haz las siguientes actividades.

Pista 84

1. ¿Has entendido bien el contenido de estas tres noticias? Lee las siguientes preguntas y escoge la respuesta adecuada.

Noticia 1

1. El tema de la primera noticia es…
    a) la inauguración de una nueva sala de exposiciones en el museo del Prado.
    b) la inauguración del museo del Prado.
    c) la inauguración de una nueva exposición en el museo del Prado.

2. El tema del discurso inaugural de sus majestades los Reyes ha sido...

   a) la importancia de la sociedad en el arte.
   b) la importancia del Museo del Prado en el panorama internacional.
   c) la importancia del arte en la sociedad.

Noticia 2

3. Las lluvias torrenciales han afectado a...

   a) Galicia.
   b) la Comunidad Valenciana.
   c) la comunidad de Madrid.

4. En las próximas horas las lluvias...

   a) disminuirán repentinamente.
   b) aumentarán lentamente.
   c) disminuirán progresivamente.

5. Las consecuencias del temporal han sido...

   a) un muerto e importantes pérdidas materiales.
   b) dos muertos y cinco heridos graves.
   c) dos muertos y grandes daños materiales.

6. Las previsiones para las próximas horas son de...

   a) mejoría.
   b) empeoramiento.
   c) estabilidad.

Noticia 3

7. El deporte español está de luto porque ha muerto...

   a) un famoso tenista.
   b) un importante futbolista.
   c) un legendario esquiador.

8. Paquito Fernández Ochoa fue ganador de...

   a) una medalla de plata en los Juegos Olímpicos de Barcelona.
   b) una medalla de bronce en los Juegos Olímpicos de Sapporo.
   c) una medalla de oro en los Juegos Olímpicos de Sapporo.

9. El funeral tendrá lugar...

   a) el once de noviembre en Cercedilla.
   b) el doce de noviembre en su ciudad natal.
   c) el once de diciembre en Madrid.

2. 👥 **Aquí tienes el título de tres noticias. Escoge una de ellas, inventa su posible contenido y cuéntaselo a tu compañero.**

La NASA descubre que no estamos solos en el universo.

LOS PAÍSES DEL PRIMER MUNDO PERDONAN LA DEUDA INTERNACIONAL A LOS PAÍSES SUBDESARROLLADOS.

CIENTÍFICOS EUROPEOS DESCUBREN UNA VACUNA CONTRA EL SIDA.

UNIDAD 11
¿QUÉ TAL HA IDO TODO?

Raquel es una chica a la que le encanta hablar de su pasado. Escucha lo que dice y haz las actividades propuestas.

1. Repasa los cuadros de gramática de las páginas 81, 82 y 83 e identifica qué tiempo pasado se utiliza en cada uno de los fragmentos escuchados. Explica por qué se usa uno u otro tiempo.

Fragmento 1:

Tiempo pasado que se utiliza: _____

¿Por qué? _____
_____

Fragmento 2:

Tiempo pasado que se utiliza: _____

¿Por qué? _____
_____

Fragmento 3:

Tiempo pasado que se utiliza: _____

¿Por qué? _____
_____

REPASO Y EVALUACIÓN

2. A continuación, completa los fragmentos con el tiempo y la forma adecuados de los verbos entre paréntesis.

Fragmento 1

Entrevistador: Raquel, ¿qué _____ (hacer) ayer?

Raquel: Pues mira, ayer _____ (levantarse) muy temprano, a eso de las siete, _____ (ducharse), _____ (vestirse) y _____ (salir) para el trabajo. De camino a la oficina me _____ (tomar) un café en un bar cerca de mi casa y _____ (leer) el periódico. _____ (llegar) al trabajo a las ocho y _____ (arreglar) unos asuntos pendientes hasta las once. _____ (tener) una reunión con los directivos del banco hasta las dos y media y después nos _____ (ir) a comer a un restaurante todos juntos. Por la tarde _____ (arreglar) un par de préstamos para unos clientes y después me _____ (ir) a casa. A las nueve _____ (empezar) a preparar la cena y a las diez _____ (llegar) mi marido; _____ (cenar), _____ (charlar) sobre nuestros días y alrededor de las doce _____ (acostarse).

Fragmento 2

Entrevistador: ¿Qué _____ (hacer) este mes?

Raquel: Este mes _____ (ser) realmente intenso. Me _____ (ascender) en el banco y me _____ (hacer) directora de sección. El ascenso me _____ (alegrar) mucho; _____ (trabajar) muy duro por ello y, finalmente, mis méritos _____ (ser) reconocidos. En lo personal también me _____ (pasar) cosas extraordinarias: el doctor nos _____ (comunicar) a mi marido y a mí que estoy embarazada. La noticia nos _____ (pillar) por sorpresa a los dos, pero nos _____ (alegrado) mucho. La tercera y última cosa que me _____ (pasar) este mes es que Juan y yo _____ (comprar) una casa: hasta ahora _____ (vivir) siempre en un pequeño apartamento, pero con la noticia de mi ascenso y la llegada del bebé _____ (decidir) hacer una inversión.

Fragmento 3

Entrevistador: Raquel, creo que tu vida ha cambiado. Cuéntanos: ¿cómo _____ (ser) tu vida cuando _____ (ser) más joven?

Raquel: He estudiado Ciencias Económicas y Empresariales en la Universidad Complutense; _____ (ser) una chica muy aplicada y _____ (soler) levantarme todos los días a eso de las 7.30 para prepararme los temas; _____ (estudiar) toda la mañana y, por la tarde, _____ (acudir) a las clases en la facultad. Siempre me ha gustado mucho el ambiente universitario y además conocí a mucha gente que todavía son amigos en la actualidad. Las clases _____ (terminar) a las ocho; después de la última, algunos compañeros y yo nos _____ (ir) a tomar un café. _____ (soler) llegar a casa a la hora de cenar y, después de hablar un rato con mis compañeros de piso o de ver una película, me _____ (ir) a la cama.

UNIDAD 12

NOS VAMOS DE VIAJE. ¿VIENES?

Pista 86
1. Tania y Rodrigo van a casarse pronto. Escucha la conversación que tienen acerca de su viaje de luna de miel y responde a las siguientes preguntas.

1. ¿A qué tipo de lugar le gustaría ir a Tania de luna de miel? ¿Por qué?
   _____

2. ¿A qué país deciden ir?
   _____

3. ¿Qué lugares visitarán en su viaje?
   _____

4. ¿Cuánto tiempo durará la luna de miel?
   _____

Pista 87
2. Al día siguiente, Tania y Rodrigo van a una agencia de viajes a informarse. Escucha la conversación que tienen con la agente de viajes y di si son verdaderas (V) o falsas (F) las siguientes afirmaciones.

1. El viaje a Argentina de la agencia incluye los billetes de avión y el hotel. _____
2. El viaje en avión es directo, sin ninguna escala. _____
3. Cuando Tania y Rodrigo lleguen a Buenos Aires, un taxi irá a recogerlos. _____
4. El hotel Miramar es de cuatro estrellas y está a las afueras de Buenos Aires. _____
5. La excursión a la Patagonia durará una semana. _____
6. El viaje cuesta 1000 euros por persona. _____
7. Tania y Rodrigo estarán en Argentina a principios del mes de junio. _____

3. 👥 Habla con tu compañero. Cuéntale como organizarías Latinoamérica; trata aspectos como:

– El billete de avión   – El alojamiento   – Las excursiones

UNIDAD 1. ¿CÓMO SOMOS Y DE DÓNDE VENIMOS?

Primera parte

Ejercicio A1
1. Laura   2. Martín   3. Sara

Ejercicio A2
Sara es de España. / – / Tiene 18 años. / Estudia periodismo porque le gusta viajar. / Le gusta viajar.
Martín es de Venezuela. / Le han dado una beca. / Tiene 22 años. / Estudia periodismo porque le gusta escribir. / Le gusta leer el periódico.
Laura es de Argentina. / Porque sus padres han vuelto de Argentina. / Tiene 42 años. / Estudia periodismo porque le gusta el mundo de la comunicación. / Le gusta escuchar la radio, pasear y visitar museos.

Ejercicio B2
1. La corrida de toros es más popular en el centro y sur de España.
2. Los toreros lidian seis toros.
3. Una corrida se divide en tres tercios o partes.
4. Las "banderillas" son una especie de flechas de colores que el torero le clava al toro en el costado.
5. El 80 % de la población barcelonesa está en contra de las corridas de toros.
6. A Laura las corridas de toros le parecen una atrocidad.

Ejercicio C1
Véase la transcripción del audio, página 108.

Ejercicio C2
Los padres de Sara se han ido de vacaciones a Santiago de Compostela.

Unidad 1. Segunda parte

Ejercicio A1
A-3. Es **cantante** – **ocho** años – **Grabó** varios discos – últimos **trabajos** –éxito **mundial** –en **inglés** – **víctimas** de la violencia – chica **atractiva** – pelo **rubio** – el **negro** – ojos **oscuros** – chica **normal**.
B-2. **escritor** español – he sido **guerrero** – **famosa** batalla – mano **izquierda** – mucho **pelo** – **barba** blanca.
C-1. años **50** – **director** de **cine** – en el **extranjero** – los **americanos** – **últimos** años – fuera de lo **normal** – un poco **gordito** – algunas **canas**...

Ejercicio A3
1. Mercedes / 2. Joaquín / 3. Juan / 4. Alfredo / 5. Silvia / 6. Susana

Ejercicio A4
Mercedes: Tiene 25 años. / Tiene el pelo largo y moreno, no es alta ni baja y es un poco regordeta. / Es alegre y habladora. / Es profesora de inglés en una academia. / Lee "Harry Potter", ve películas americanas y escucha música.
Joaquín: Tiene 50 años. / Es bajo, delgado y calvo. También lleva gafas. / Es poco hablador, tímido y malhumorado. / Trabaja en un banco. / Ve la televisión y juega al ajedrez con su madre.
Alfredo: Tiene 35 años. / Es guapo, tiene el pelo negro, los ojos azules y es alto. / Es simpático, a veces un poco pesado y bastante tacaño. / Trabaja en una tienda de ropa. / Va de compras, pasea a sus perros y navega por Internet.
Susana: Tiene 27 años. / Tiene el pelo corto y rubio y los ojos verdes. / Es un poco rara, introvertida y maja, aunque distante. / Es cartera y colabora como voluntaria para la Cruz Roja. / Toca la guitarra, anda en bicicleta y compra CDs.
Silvia: Tiene entre 90 y 95 años. / Tiene el pelo blanco. / Es bastante gruñona y muy seria. / Está jubilada. / Cose, borda y teje jerséis.
Juan: Tiene 7 años. / Es bajito y delgadito, con cara de travieso; es pelirrojo y con muchísimas pecas. / Es travieso, inquieto y un poco vago. / Estudia Primaria. / Juega al fútbol, colecciona cromos y come salchichas. /

Ejercicio B2
1-c   2-a   3-b   4-a

Ejercicio C1
1. V   2. F   3. V   4. F   5. F

Ejercicio C2
Julia está hablando de Madrid, porque es la capital de España y por todos los monumentos, museos y calles que se mencionan.

UNIDAD 2. ¿QUÉ TENEMOS QUE HACER HOY?

Primera parte

Ejercicio A1
1. F   2. V   3. F   4. V   5. F

Ejercicio A2
Trabajar: ocuparse en cualquier actividad física o intelectual.
Hacer la compra: adquirir alimentos y otras cosas necesarias.
Preparar la comida: cocinar los alimentos.
Fregar: limpiar algo restregándolo con un cepillo o estropajo y utilizando agua y jabón.
Estudiar: intentar aprender o memorizar algo.
Leer: pasar la vista por lo escrito, comprendiendo su contenido.
Quedar con alguien: concertar una cita con alguien.

Ejercicio B1
1-a   2-b   3-b   4-b   5-b   6-a   7-a

Ejercicio B2

Tarea doméstica	Parte de la casa en la que se realiza	Utensilios que utilizamos
Quitar el polvo	habitación y salón	trapo o plumero
Pasar la aspiradora	habitación y salón	aspiradora
Fregar los platos	cocina	estropajo
Barrer	cocina	escoba
Pasar la fregona	cocina y baño	fregona
Limpiar el lavabo	baño	estropajo

Ejercicio C1

Sara. El viernes: ensayo de teatro / salir a tomar unas cañas. / El sábado: comer en casa de sus padres / partido de baloncesto. / El domingo: ir de tapas con Marisa / salir con Martín y Laura.

Martín. El viernes: tomar unas copas con amigos / bailar en la discoteca "Panamá". / El sábado: levantarse tarde / dar una vuelta con Luis / acostarse temprano. / El domingo: salir con Sara y Laura.

Laura. El viernes: ir al cine con su madre / cenar en un restaurante. / El sábado: dar un paseo / comer con amigos / ver una exposición de Picasso. / El domingo: salir con Martín y Sara.

Unidad 2. Segunda parte

Ejercicio A1

1. José Luis. Panadero. / 24 años. / Se levanta a las 4.00 a.m. / Termina de trabajar a las 8.00 a.m. / Se acuesta a las 8.00 p.m.

2. Ricardo. Ejecutivo. / 42 años. / Se levanta tarde y temprano, depende.

3. Luisa. Escritora. / 36 años. / Se levanta a las 10.00 a.m. / Empieza a trabajar a las 12.00 a.m. / Termina de trabajar a las 8.00 p.m. / Se acuesta después de las 11.00 p.m.

Ejercicio A2

Soler: hacer algo con regularidad.

Ejercicio B1

Mari Carmen tiene que: fregar los platos, hacer las camas, quitar el polvo, poner la mesa, hacer la comida, planchar.

Ejercicio B2

A lo largo del día, Mari Carmen prepara el desayuno, pasa la aspiradora, limpia los baños, hace la compra, recoge la cocina, prepara la merienda, prepara la cena.Mari Carmen tiene que: fregar los platos, hacer las camas, quitar el polvo, poner la mesa, hacer la comida, planchar.

Ejercicio B2

A lo largo del día, Mari Carmen prepara el desayuno, pasa la aspiradora, limpia los baños, hace la compra, recoge la cocina, prepara la merienda, prepara la cena.

Ejercicio C1

Javier se levantaba temprano; desayunaba en el hotel; paseaba por la ciudad; alquilaba un coche y visitaba pueblos; visitaba iglesias, museos y disfrutaba de la naturaleza; leía el periódico, veía la televisión y hablaba con turistas.

Ejercicio C2

Actividades diarias: cocinar, ducharse, afeitarse, levantarse, peinarse.

Actividades lúdicas: Leer el periódico, pasear, ir al cine, escuchar música, pintar un cuadro, leer un libro.

Actividades domésticas: quitar el polvo, hacer la cama, hacer la compra, fregar los platos.

UNIDAD 3. ¿QUÉ HACEMOS EN NUESTRO TIEMPO LIBRE?

Primera parte

Ejercicio A1

1. Laura propone ir al cine a ver una película francesa.
2. Sara quiere ir a ver una exposición de Dalí al Museo de Arte Contemporáneo.
3. Martín sugiere ir a ver la obra de teatro *Bodas de sangre*.
4. Finalmente deciden ir al teatro.
5. Quedan a las 5.30.
6. Quedan delante del Teatro Principal.

Ejercicio A2

Ver la transcripción de la conversación, página 110.

Ejercicio A4

La expresión "¿cómo andas?" es equivalente a "¿qué tal estás?".

Ejercicio B1

1. F   2. F   3. V   4. V

Ejercicio B2

Para colmo de males = a) para empeorar la situación.

Ejercicio C1

Tipo de curso	Días	Horario
Perfeccionamiento	Martes Viernes	5.45-7.15 6.00-7.30
Terapéutico	Lunes Jueves	8.00-9.30 5.00-6.30
Básico	Miércoles Viernes	10.30-12.00 9.00-10.30

Precio	Descuento
130 euros	Sí: 115 euros
180 euros	No
115 euros	Sí: 100 euros

Unidad 3. Segunda parte

Ejercicio A1

1. Roberto tiene 34 años.
2. Roberto es voluntario...
3. Le gusta leer novelas... y cómics...
4. También le gusta ir al cine... dibujos animados... tocar la guitarra...
5. Odia... ir de compras...

Ejercicio B1

Dibujo A: conversación 2: formal. Razones: empleo de saludos formales y uso del tratamiento de cortesía, con *usted*.

Dibujo B: conversación 1: informal. Razones: los personajes se tutean y usan expresiones coloquiales (*No sé en qué demonios estoy pensando*, *Bueno, vale*).

Ejercicio C1

Nombre: María.
Apellidos: García Moreno.

Edad: 35 años.
DNI (Documento Nacional de Identidad): 44361235-B.
Curso: danza contemporánea.
Día del curso y hora: lunes de 8.00 a 9.30.
Forma de pago: en efectivo.

UNIDAD 4. MI CASA ES TU CASA

Primera parte

Ejercicio A1
1. Martín está enfadado porque tiene que dejar su casa y buscar un piso nuevo.
2. Laura le aconseja que en la facultad se fije en los anuncios y que mire el periódico. Sara le dice que pregunte a la gente.
3. Al final de la conversación Martín se siente mejor; cree que le vendrá bien cambiar de aires.

Ejercicio A2
Véase la transcripción de la conversación, página 112.

Ejercicio B1
1-a   2-b   3-b   4-b

Ejercicio B2
El piso más adecuado para Martín es el del anuncio 1, porque es céntrico, tiene un gran balcón, una cocina amplia y totalmente equipada, un dormitorio con armario y un baño con bañera. El precio también es adecuado, 350 euros mensuales.

Ejercicio C1
1. El único problema que tiene el piso es que no tiene lavadora.
2. El casero comprará un lavadora y subirá un poco el precio del alquiler.
3. El precio final del alquiler del piso es de 370 euros mensuales.

Ejercicio C2
Acción de negociar el precio: regatear.

Ejercicio C3
Estimado señor – **alquilé** uno de sus pisos – algunos **problemas** – fuesen **resueltos** – no **funciona** – agua **caliente** – las **molestias** – no **cierra** bien – casi **insoportable**.
Les ruego que **consideren** – un **profesional** – de **reparar** – estos **desperfectos**.
Muchas **gracias**. – Reciban un **cordial** saludo.

Unidad 4. Segunda parte

Ejercicio A1
Véase la transcripción de la conversación, página 113.

Ejercicio A2
1. Los aspectos positivos de vivir en un pueblo, según Ester, son que se puede hablar con la gente, se puede pasear con tranquilidad y tomarse una caña en un bar. Los aspectos negativos de vivir en un pueblo, según Ester, son que se depende del coche para todo, no hay cine, teatro o discotecas y, si se quiere salir, hay que ir a una ciudad cercana.
2. Ester cree que a veces la gente se mete en asuntos ajenos, pero que cuando tienes un problema también te ayudan.
3. Sí, Ester está contenta con su nueva vida en la ciudad, porque tiene muchas posibilidades de entretenimiento, como dar un paseo por el parque, ver una película en

el cine o inscribirse en un curso. Además, vivir en la ciudad le da independencia y posibilidades, aunque a veces se pueda sentir un poco sola.

Ejercicio B1
Berta busca un piso en Madrid, céntrico, para compartir preferiblemente con chicas, con un dormitorio luminoso, salón amplio, cocina equipada y baño.

Ejercicio B3
quimera = sueño
asalariados = trabajadores
arrendamiento = alquiler
emancipación = independización
domicilio = casa
habita = vive
remuneración = sueldo

Ejercicio C1
1. Lucas se queja de que la calefacción no funciona y el calentador está estropeado.
2. Es muy importante el arreglo de la primera avería porque ahora empieza a hacer frío.
3. Respecto a la segunda avería, el casero dice que esa tarde hablará con un fontanero para que lo arregle.

REPASO Y EVALUACIÓN. Bloque 1

Unidad 1, actividad 1
Ellas: Alejandra / Andrea / Catalina
Ellos: Rodrigo / Javier / Nicolás

Unidad 1, actividad 2
1. Andrea: d) habladora / l) extrovertida
2. Catalina: c) reservada / g) casera
3. Alejandra: e) independiente / f) ambiciosa / i) educada
4. Nicolás: j) sencillo / g) casero
5. Javier: b) exigente / k) perfeccionista
6. Rodrigo: a) abierto / h) divertido

Unidad 1, actividad 3
1-a   2-c   3-b   4-a   5-c   6-b

Unidad 1, actividad 4
• Alejandra y Javier. Razones: tienen una edad semejante y la misma posición social; en su tiempo libre a ambos les gusta salir de copas y el arte.
• Andrea y Rodrigo. Razones: tienen una edad semejante; a ambos les gustan los animales y salir; los dos buscan a alguien simpático.
• Catalina y Nicolás. Razones: tienen una edad semejante; a ambos les gusta la tranquilidad. Catalina preferiría un hombre al que le guste ayudar a los demás, y Nicolás trabaja para Amnistía Internacional. A Catalina le gusta comer y a Nicolás le gusta cocinar.

Unidad 2, actividad 1
Alberto / Cristina / David

Unidad 2, actividad 2
1. Alberto es electricista.
2. Cristina es agricultora y granjera.
3. David es médico.

Unidad 2, actividad 3
1. Alberto: c / f / k
2. Cristina: a / e / g / i
3. David: b / d / h / j

Unidad 2, actividad 4

¿Quién duerme la siesta? – Cristina.
¿Quién va en furgoneta a trabajar? – Alberto.
¿Quién trabaja en un policlínico? – David.
¿Quién suele comer a la una? – Cristina.
¿Quién tiene que hacer guardias? – David.
¿Quién se levanta más temprano? – Cristina.
¿Quién no tiene horario fijo? – Alberto.
¿Quién no tiene tiempo para aburrirse? – Cristina.
¿Quién hace chapuzas? – Alberto.

Unidad 3, actividad 1

Véase la transcripción de la conversación, página 115.

Unidad 3, actividad 3

1. Raquel, Álvaro y Mila deciden ir a ver una película de Almodóvar y después a cenar a un restaurante argentino.
2. Quedan a las 9.30.

Unidad 4, actividad 1

1. F   2. F   3. V   4. V

Unidad 4, actividad 2

1. Necesitan un piso céntrico porque ambos trabajan en el centro de la ciudad y no quieren pasarse el día en el transporte público.
2. Necesitan un balcón porque en el futuro quieren tener un niño y así podrá jugar fuera.
3. Necesitan una cocina amueblada porque siempre han vivido de alquiler y por eso no tienen ningún mueble o electrodoméstico.

Unidad 4, actividad 3

El piso ideal para Marta y Fernando es el del anuncio número 3, porque es acogedor, está en el centro, tiene una cocina equipada y un balcón. El precio también les interesa porque es inferior a 1300 euros mensuales.

Bloque 2

UNIDAD 5. ¡TODO EL MUNDO A LA MESA!

Primera parte

Ejercicio A1

1. Los chicos deciden ir a cenar a un restaurante porque quieren hacer algo tranquilo, están cansados.
2. Laura propone ir a un restaurante cerca de la estación, porque se come bien y no es caro.
3. Sara propone ir a cenar a un restaurante japonés. A Martín no le parece muy buena idea, porque no le gustan las comidas exóticas.
4. Finalmente los chicos deciden ir de tapas por la zona vieja de la ciudad, porque no son caras y cada uno puede elegir lo que quiera.

Ejercicio A2

1. Yo también quiero. / A mí también me apetece.
2. Vale. / De acuerdo.
3. El mejor plato del restaurante.
4. Las comidas exóticas no me gustan.

Ejercicio B1

	Bebida	Comida	Postre	Café
Laura	Zumo de piña	Ración de chipirones fritos y ración de queso	Tarta de queso	
Martín	Vino	Tortilla		Café solo
Sara	Caña	Sopa de truchas		Café cortado

Ejercicio B2

Véase la transcripción de la conversación, página 115.

Ejercicio B3

Vino de la casa: vino elegido por el restaurante.
Caña: vaso de cerveza.
Una ración: porción de un determinado alimento.
Buena pinta: buen aspecto.
Enseguida: ahora.
Riquísimo: muy rico, delicioso.

Postre: fruta, dulce u otras cosas que se sirven después de la comida.
Estar para chuparse los dedos: estar muy rico.
Un cortado: café con un poquito de leche.

Ejercicio C1

1. En España se toman al día dos comidas calientes: el almuerzo y la cena.
2. Los españoles suelen desayunar un café con leche y, a veces, churros.
3. El almuerzo es a las 2.30 y la cena entre las 9.00 y las 9.30.
4. La comida que se hace entre el almuerzo y la cena se llama merienda.

Unidad 5. Segunda parte

Ejercicio A1

Tienda A – diálogo 3. Nombre: carnicería.
Palabras clave: chuletas de ternera, fiambre, chorizo.
Tienda B – diálogo 1. Nombre: pastelería.
Palabras clave: tarta, tarta de manzana, tarta de chocolate.
Tienda C – diálogo 2. Nombre: frutería.
Palabras clave: peras, uvas, manzanas.

Ejercicio B1

1-e   2-c   3-b   4-f   5-a   6-d

Ejercicio B2

Posible nombre de la receta: **Cerdo con verduras**

Limpia las verduras, colócalas sobre una placa de horno. **Sazónalas** y riégalas con un **chorro** de aceite. Introdúcelas en el horno (**previamente** calentado) y **ásalas** durante 30 minutos a 180º C. Cuando estén hechas, pela las verduras y **córtalas** en tiras. **Alíñalas** con aceite y sal. Corta la carne de **cerdo** en tacos y salpiméntalos. Pon los ajos a freír en una **sartén** con aceite. Añade la carne y fríela. Sirve las verduras en una **fuente** y los tacos de carne en otra. Decora con una rama de **perejil**.

Ejercicio B3

A. Ajos   B. Pimientos   C. Berenjena   D. Aceite
E. Pimienta y sal   F. Carne   G. Cebolletas   H. Perejil

Ejercicio C1
1. Esta paella está **muy rica**.
2. Hoy Lorenzo tiene un examen muy importante y **está muy nervioso**.
3. María ha perdonado el mal comportamiento de Manuel. La verdad es que es **muy buena**.

UNIDAD 6. ¡AY, QUÉ DOLOR!

Primera parte

Ejercicio A1
3. Laura y Martín deciden visitar a Sara porque hoy no ha ido a clase y para comprobar si se encuentra bien.
2. A Sara le duele la cabeza y ha vomitado.
3. Laura cree que a Sara le ha sentado mal la mayonesa.
4. Martín cree que Sara tiene una intoxicación.
5. Sara va a esperar hasta mañana y, si no se encuentra mejor, concertará una cita con el medico.

Ejercicio A2
1. F   2. F   3. F   4. F

Ejercicio A3
Véase la transcripción de la conversación, página 116.

Ejercicio B1
1-a   2-c   3-a   4-c

Ejercicio B2
1-i   2-g   3-h   4-e   5-f   6-d   7-b   8-c   9-a

Ejercicio C1
1. Sara: B.   2. Martín: D y A.   3. Laura: A, E, F y C.

Ejercicio C2
Laura es la más sana de los tres, porque no fuma ni bebe y, además, se acuesta temprano y lleva una dieta variada.

Unidad 6. Segunda parte

Ejercicio A1
A-4   B-3   C-5   D-2   E-1

Ejercicio B2
Consejo 1 – A) gripe
Consejo 2 – E) diarrea
Consejo 3 – C) una herida

Ejercicio C1
1. Lo que pretende el Ministerio de Sanidad es, por un lado, proteger a los no fumadores y, por otro, rebajar un 10% la cifra de fumadores en cinco años.
2. Los locales que superen los 100 metros cuadrados tienen que señalizar la zona destinada a los fumadores hasta que hagan la separación física.
3. Comprar tabaco será más difícil porque se restringirán a la mitad los puntos de venta.

UNIDAD 7. ¡TODO EL MUNDO A TRABAJAR!

Primera parte

Ejercicio A1
1. Un trabajo de redactor para una revista juvenil.
2. Martín quiere trabajar para un peñiódico nacional importante.
3. Sara quiere ser corresponsal para una cadena de televisión importante. A Laura este trabajo le parece peligroso.

4. Laura sueña con ser locutora de una emisora de radio importante.

Ejercicio B1
Véase la transcripción de la conversación, página 118.

Ejercicio B2
Sí, Martín es un candidato adecuado para el puesto, porque es joven y entusiasta y, aunque no tiene mucha experiencia, no se requiere para el puesto. Además, se trata de un trabajo parcial que le permite continuar con sus estudios.

Ejercicio C1
Véase la transcripción del diálogo, página 118.

Ejercicio C2
1. Sí, Martín ha sido informado de las condiciones del contrato antes de la entrevista.
2. La revista *Bravo* le ofrece un contrato temporal a tiempo parcial durante un periodo de un año.
3. Martín recibirá 1095 euros netos mensuales.
4. El primer mes de trabajo será de prueba y adaptación.
5. Martín tiene que empezar a trabajar el día uno del mes próximo.

Ejercicio C3
1-d   2-b   3-c   4-e   5-a

Ejercicio C4
1. Contrato temporal: contrato por un tiempo limitado.
2. Tiempo parcial: jornada laboral de entre 16 y 20 horas semanales.
3. 1095 euros netos: cantidad de dinero después de haber sustraído los impuestos.

Unidad 7. Segunda parte

Ejercicio A1
1. El mejor trabajo para María es la oferta número 1, porque se ofrece un puesto en una empresa multinacional y ella ha hecho un máster en Economía Internacional y le gustaría trabajar en algo relacionado con el comercio internacional.
2. Ana está interesada en la oferta número 3, porque está licenciada en Historia del Arte y se ofrece un puesto en una pequeña galería, por lo que no tendrá tanto estrés.
3. Santiago está interesado en la oferta número 2, porque quiere montar su propio negocio de informática.

UNIDAD 8. ¡A MOVERSE!

Primera parte

Ejercicio A1
1. V   2. F   3. V   4. F   5. V   6. F   7. F

Ejercicio B1
1. F   2. F   3. V   4. V   5. V   6. F

Ejercicio B2
1-b   2-d   3-c   4-a   5-g   6-h   7-f   8-e

Ejercicio B3
1-c   2-b   3-d   4-a

Ejercicio C1
1. A Sara le gusta ver los Juegos Olímpicos y los Mundiales de fútbol.
2. A Laura le encanta ver Roland Garros y Wimbledom.

3. A Martín le apasiona ver la vuelta ciclista a España y la liga de fútbol.

Ejercicio C2

1. El dopaje es el consumo de sustancias que aumentan el rendimiento del deportista.
2. No, el consumo de sustancias ilegales es tan antiguo como el deporte.
3. Sí, el deporte tiene una gran influencia en los jóvenes.
4. Porque, si se practica de forma correcta, enseña a la sociedad valores muy importantes, como responsabilidad, trabajo en equipo, respeto al adversario, juego limpio, etc.

Unidad 8. Segunda parte

Ejercicio A1

Javier: 16 años. / Atletismo. / Lo practica desde hace 4 años. / Porque su profesor de gimnasia se lo recomendó. / Entrenamiento: de 4 a 5 horas al día, 3 días por semana. / Especialidad: 100 metros lisos.

Daniela: 18 años. / Natación. / Lo practica desde los 16 años. / Porque desde muy pequeña veía los grandes campeonatos con su padre. / Entrenamiento: de 3 a 4 horas, 4 veces por semana. / Especialidad: 200 metros espalda.

Flor: 20 años. / Baloncesto. / Lo practica desde hace 5 años. / Porque la gente le insistió, porque era muy alta. / Entrenamiento: 4 horas al día 3 días a la semana. / Especialidad: pívot.

Ejercicio A2

1. Balonmano   2. Vela   3. Atletismo   4. Ciclismo
5. Hípica   6. Patinaje sobre hielo

Ejercicio B1

1. Fútbol, porque hay un balón, dos equipos, porteros que intentan parar goles, y el partido dura 90 minutos.
2. Baloncesto, porque hay que encestar el balón en una canasta, el partido dura 40 minutos y se divide en cuatro partes de 10 minutos cada una.

Ejercicio B2

1-e   2-d   3-a   4-c   5-b

Ejercicio C1

A. Fragmento número 3.
   Nombre: Cobi.
Mascota de: Juegos Olímpicos, Barcelona 1992.
Dibujado por: Javier Mariscal.

B. Fragmento número 1.
   Nombre: Naranjito.
   Mascota de: Mundial de fútbol, España 1982
   Ganador de la competición: Italia
C. Fragmento número 2.
   Símbolo: Juegos Olímpicos.
   Este acontecimiento deportivo se celebra cada cuatro años.
   El símbolo representa a los cinco continentes.

REPASO Y EVALUACIÓN. Bloque 2

Unidad 5, actividad A1

1. El producto que está de oferta en la tienda son los pimientos.
2. El kilo de patatas cuesta 1.50 euros.
3. Lorena compra media docena de huevos.

4. Lorena casi se olvida de comprar una botella de aceite de girasol.
5. El total de la compra es 6.65 euros.

Unidad 5, actividad A2

Véase la transcripción de la conversación, página 120.

Unidad 5, actividad B1

1-d   2-c   3-f   4-a   5-e   6-b

Unidad 5, actividad B2

Jugoso: es lo contrario de seco.
Doradito: que tiene un color dorado.
Picadito: cortadito.
Dulce: sabor que tienen los alimentos que contienen azúcar.
Amargo: sabor característico de algunos cítricos, como el limón o el pomelo.
Afrutado: con sabor a frutas.

Unidad 5, actividad B4

Véase la transcripción de la conversación, página 120.

Unidad 6, actividad 1

1. Los síntomas de Inés son: tos, dolor de cabeza y cansancio.
2. El médico examina su garganta y la ausculta.
3. Según el médico, si Inés no se cuida, su resfriado podría convertirse en una gripe.
4. El médico aconseja a Inés que tome un jarabe tres veces al día, que se meta en la cama, que se proteja de las corrientes de aire, que beba mucha agua y que descanse.

Unidad 6, actividad 2

Síntomas: toser, dolor de cabeza, irritación de garganta, cansancio.
Enfermedades: resfriado, gripe.
Tratamientos: descansar, beber agua, medicarse.

Unidad 6, actividad 3

Un síntoma es la señal o el indicio de una enfermedad.
Una enfermedad es una alteración más o menos grave de la salud; suele anunciarse a través de síntomas.
Un tratamiento es el conjunto de medios que se utilizan para curar una enfermedad.

Unidad 7, actividad 1

	Edad	Profesión	Años de experiencia en su último trabajo	Estudios realizados
Fran	28 años	Programador informático	3 años	Enseñanza Secundaria Obligatoria Dos ciclos de programación
Susana	47 años	Profesora de español como lengua extranjera	8 años	Filología Hispánica Dos cursos intensivos del Instituto Cervantes
Antonia	34 años	Ingeniera	9 años	Ingeniería Industrial Prácticas en Berlín

Unidad 8, actividad 1

1-c   2-a   3-b   4-a   5-b

Unidad 8, actividad 2

1-d   2-e   3-b   4-h   5-g   6-c   7-f   8-a

UNIDAD 9. ¿QUÉ MÚSICA LLEVAS EN TU MP3?

Primera parte

Ejercicio A1

1. Sara está escuchando el nuevo CD de Shakira.
2. Martín está escuchando el nuevo disco de Hombres G.
3. Jazz, blues y un poquito de soul.
4. Sí, cree que es la mejor música.
5. Por la música clásica.

Ejercicio A2

1. V   2. F   3. V   4. V   5. V

Ejercicio A3

1-e   2-h   3-d   4-c   5-f   6-b   7-a   8-g

Ejercicio B1

1. Le han tocado tres entradas.
2. Para el concierto de Sabina.
3. Laura y Sara.
4. El próximo viernes a las diez.
5. A las nueve en la entrada del polideportivo.

Ejercicio B2

1. A Martín le tocaron tres entradas...
2. ... muy joven.
3. ... sus últimos trabajos. 4. ... los grandes clásicos de Sabina.
5. ... el próximo viernes a las diez.
6. ... en la última fila.
7. ... en la entrada del polideportivo.

Ejercicio C1

1. V   2. F   3. F   4. V   5. V

Ejercicio C2

1. C   2. D   3. B   4. E   5. A

Unidad 9. Segunda parte

Ejercicio A1

Francisco: 45 años. / Rock de los 70. / Porque es música experimental. / Pink Floyd, Allan Parson Project. / Tocadiscos.

Sandra: 24 años. / Pop en español. / Le gusta entender las letras de las canciones y los ritmos latinos. / Shakira, Juanes, Alejandro Sanz. / Equipo de música de alta fidelidad.

Cristina: 16 años. / Grupos de chicos. / Porque le gustan las canciones románticas que le hacen soñar. / El Canto del Loco, Santa Justa Klan. / MP3.

Fátima: 34 años. / Música clásica. / Porque le ayuda a relajarse y su calidad es superior. / Beethoven y Manuel de Falla. / Radio Clásica.

Ejercicio A4

Maraca: puede ser de metal o de plástico; es un instrumento sudamericano.
Trompeta: instrumento de viento que tiene un tubo de metal y puede producir diversidad de sonidos.
Violín: Instrumento de cuerda, de pequeño tamaño y que produce un sonido agudo; tiene cuatro cuerdas que se tocan con un arco.

Ejercicio B1

1. El grupo se formó en 1987.
2. "Jesucristo García", "So payaso", "El día de la bestia".

3. Actuarán en la Plaza de las Ventas en Madrid.
4. 20 euros.
5. Sabina interpreta música pop
6. "Gira ultramarina".
7. *Alivio de luto.*
8. El 9 de agosto.
9. 25 euros.
10. De Dos Hermanas.
11. "Macarena".
12. En la Plaza de Toros de Murcia.
13. Sí, son más baratas que las de Extremoduro; cuestan 15 euros.

Ejercicio C2

1-c   2-b   3-a

UNIDAD 10. ¿QUÉ PONEN EN LA TELE HOY?

Primera parte

Ejercicio A1

1. "Babelia".
2. "Babelia" es el suplemento cultural del periódico *El País*.
3. Teatro, música, noticias culturales, libro de la semana, arte...
4. Porque es bastante objetivo y no solo se centra en noticias políticas: también tiene noticias culturales.
5. Martín lee el *ABC*.
6. Porque *El Mundo* tiene una sección muy interesante sobre temas de salud, y esto le interesa a Laura.

Ejercicio A2

1. F   2. V   3. F   4. V   5. F   6. F   7. V   8. V

Ejercicio A3

Véase la transcripción de la conversación, página 123.

Ejercicio B1

1. ... es inglesa.
2. ... idiomas: inglés, castellano y catalán...
3. ... en español.
4. Marlango es el grupo de música...
5. ... el segundo disco...

Ejercicio C1

	¿Qué programas le gustan?	¿Por qué le gustan?	¿Qué programas no le gustan?	Título de un programa que le gusta
Sara	Magazines de tarde, documentales de naturaleza, series y telenovelas	Magazines: porque son programas variados con algo de todo	Concursos y telediarios	"Siete vidas" y "Aquí no hay quien viva"
Martín	Concursos y telediarios	Concursos: emocionantes y porque se pueden ganar premios	Series	"Pasa palabra"
Laura	Programas informativos (telediarios, documentales, reportajes)			"Informe semanal"

Ejercicio C2

1-d 2-b 3-f 4-c 5-e 6-a

Unidad 10. Segunda parte

Ejercicio A1

A. Noticia 2.

B. Noticia 1.

C. Noticia 3.

D. Noticia 4.

E. –

Ejercicio A2

Noticia 1. La Rioja alavesa estrena el hotel diseñado por Frank Gehry. / Arquitectura, hotel, arquitecto, nueva y moderna instalación.

Noticia 2. *MySpace* venderá la música de su caudal en la red. / Página web, banda, MP3, tienda online.

Noticia 3. El Congreso Internacional de Cardiología arranca con ovaciones a la ley antitabaco. / Especialista, ley antitabaco, infartos, patologías coronarias.

Noticia 4. El "jefe" toma conciencia folk. / Seguidores, último trabajo.

Ejercicio A3

Título: El mayor timo de la historia.

(Desarrollo libre).

Ejercicio B1

Programa 1. Reportaje deportivo.

Programa 2. Cinematográfico: estrenos de películas.

Programa 3. Sociedad.

Ejercicio B3

1. F   2. F   3. F   4. V   5. F

Ejercicio B4

1. Su última película se titula *Volver*.

2. En el festival de Cannes.

3. Almodóvar, actores y amigos.

Ejercicio B5

Véase la transcripción del programa, página 124.

UNIDAD 11. ¿QUÉ TAL HA IDO TODO?

Primera parte

Ejercicio A1

1. Martín está descontento con la asignatura de Estadística.

2. El señor Martínez perdió los exámenes y los alumnos tuvieron que hacerlos de nuevo.

3. La señora Roca. Si un estudiante le hacía una pregunta, estaba a punto de desmayarse.

4. Martín ha aprendido muchas técnicas útiles para redactar un artículo.

5. La profesora de "Competencias escritas" se llamaba Rosa y era una chica joven, con muchísima experiencia y motivación.

6. Sí, lo han convencido; al final admite que han aprendido algo.

Ejercicio B1

1. F   2. F   3. V   4. V   5. V   6. F   7. F   8. F

Ejercicio B2

Verbos en pretérito indefinido:

Sara: pensé (pensar)

Martín: fue (ser) – me levanté (levantarse)

Laura: fue (ser) – hiciste (hacer)

Martín: estudié (estudiar) – me di cuenta (darse cuenta)

Sara: llamó (llamar) – pidió (pedir) – quedamos (quedar) – nos tomamos (tomarse) – fotocopiamos (fotocopiar)

Martín: fue (ser – empecé (empezar) – acabé (acabar) – salí (salir) – preparé (preparar)

Sara: Y...

Martín: corrí (correr) – llegué (llegar)

En este fragmento se usa el pretérito indefinido porque se hace referencia a hechos que han ocurrido en un tiempo pasado cerrado: ayer.

Ejercicio C1

1. No	4. Sí	7. Sí
2. Sí	5. No	8. Sí
3. No	6. No	9. No

Ejercicio C2

Verbos en pretérito imperfecto:

Sara: era

Laura: era

Sara: era – vivía – gustaba

Martín: hacías

Sara: me levantaba – me quedaba – tenía – desayunaba – salía

Laura: ibas

Sara: iba – estaba – iba

Martín: tenías

Sara: empezaba – era

Laura: Ibas

Sara: teníamos – me iba

Martín: salíais

Sara: terminaban – me iba – gustaba – podía

En el texto se utiliza mayoritariamente el pretérito imperfecto, porque se presentan hechos habituales del pasado.

Unidad 11. Segunda parte

Ejercicio A1

1. Mercedes ha tenido una semana de locos porque ella ha sido la organizadora de un congreso en la universidad y ha tenido que levantarse todos los días a las 7.00.

2. Mercedes ha estado trabajando desde las 8.30 de la mañana hasta las 5.00 de la tarde.

3. Mercedes ha tenido que preocuparse de aspectos como el café, los micrófonos, los conferenciantes, las salas...

4. El congreso ha salido bien y ha resultado interesante.

5. Javier ha estado estresado porque ha estado estudiando muy duro para un examen, porque los temas eran muy amplios y difíciles.

6. Se ha levantado casi todos los días a las 7.30.

7. A veces, por las tardes Javier ha quedado con amigos para repasar algunas preguntas y charlar un rato.

8. El examen le ha salido bien y cree que sacará una buena nota.

Ejercicio B1

Véase la transcripción del audio, página 125.

UNIDAD 12. NOS VAMOS DE VIAJE. ¿VIENES?

Primera parte

Ejercicio A1

1. F   2. F   3. V   4. F   5. F   6. F   7. V   8. F

Ejercicio A2

1-c   2-f   3-a   4-e   5-b   6-d

Ejercicio A3
los resultados = las notas
he aprobado = he pasado
me han quedado = me han suspendido
estoy sin blanca = no tengo dinero
me entusiasma = me encanta

Ejercicio B1
1. plazas
2. maleta
3. oferta / billetes
4. alojamiento / albergue juvenil
5. preparativos
6. reservar

Ejercicio B2
1. Sara no ha preparado la maleta porque todavía no han comprado los billetes.
2. Laura cree que es buena idea empezar con los preparativos del viaje, porque si tardan más ya no habrá plazas.
3. Sara se encargará de reservar los billetes.
4. No, a Laura no le gusta el camping, porque hay ruido, es sucio e incómodo y prefiere dormir en una cama.
5. La solución intermedia es alojarse en un albergue juvenil.
6. Martín se encargará de reservar las habitaciones por diez noches.

Ejercicio C1
1-a   2-c   3-b   4-a   5-c

Ejercicio C2
Laura: A / D   Martín: B / E   Sara: C

Unidad 12. Segunda parte

Ejercicio A1
Sofía: sol, playa, dormir, isla del Caribe, relax.
Javier: naturaleza, safari, animales salvajes, sabana africana.
Amparo: arquitectura, música, museos, ciudad.

Ejercicio B1
1. ¿En qué puedo ayudarle?
2. fechas
3. precio
4. reservar
5. habitación doble
6. pensión completa
7. habitación individual

Ejercicio B2
Tipo de habitaciones: doble e individual.

Fechas de la reserva: del 10 al 17 de agosto.
Pensión: media pensión.
Precio: 65 euros por noche la habitación doble. 55 euros por noche la habitación individual

Ejercicio C1
1. F   2. F   3. V   4. V   5. F

REPASO Y EVALUACIÓN. Bloque 3
Unidad 9, actividad 1
1. Según Alberto, el ensayo de esta semana ha sido duro porque han tenido que aprender muchas canciones nuevas en poco tiempo.
2. Las dos cosas que más le gustan a Estela de tocar en la banda son: la compenetración entre los músicos y lo contenta que se pone la gente en las fiestas cuando tocan.
3. Alberto toca el clarinete; lo que más le gusta de él es su sonido.
4. Según su madre, Estela toca el tambor desde siempre.
5. A Estela le gustaría tocar la batería en una banda de rock. A Alberto le gustaría tocar el clarinete en una gran orquesta sinfónica.

Unidad 9, actividad 2
1-i 2-g 3-h 4-e 5-a 6-b 7-c 8-f 9-d 10-j

Unidad 10, actividad 1
1-a   2-c   3-a   4-c   5-c   6-a   7-c   8-c   9-a

Unidad 11, actividad 1
Fragmento 1. Se utiliza el pretérito indefinido, porque se refiere un tiempo pasado cerrado (ayer).
Fragmento 2. Se utiliza el pretérito perfecto, porque se refiere a un tiempo pasado abierto, todavía conectado con el presente (este mes).
Fragmento 3. Se utiliza el pretérito imperfecto, porque describe acciones habituales del pasado (solía, todos los días...).

Unidad 11, actividad 2
Véase la transcripción, página 128.

Unidad 12, actividad 1
1. A Tania le gustaría ir a un lugar romántico y tranquilo para estar con Rodrigo a solas.
2. Tania y Rodrigo deciden ir de luna de miel a Argentina.
3. Visitarán Buenos Aires y la Patagonia.
4. La luna de miel durará tres semanas.

Unidad 12, actividad 2
1. V   2. V   3. F   4. F   5. V   6. F   7. F

TRANSCRIPCIONES

UNIDAD 1. Primera parte

Pista 1. Primer día de curso

Sara: Hola. ¿Puedo sentarme con vosotros? Soy Sara.

Martín: ¡Claro! Siéntate, siéntate. Yo soy Martín.

Laura: Y yo me llamo Laura. ¿Estudiáis también en la Facultad de Periodismo?

Sara: Sí, hoy es mi primer día y ando un poco perdida.

Martín: Es normal, yo también, esta facultad es un auténtico caos. ¿De dónde eres, Sara?

Sara: Soy española, de aquí, de Salamanca. ¿Y tú?

Martín: Yo soy venezolano, nací en un pueblo cercano a la capital, Caracas.

Sara: ¿Y tú de dónde eres, Laura? Tu acento no me parece español.

Laura: Yo soy argentina, de Buenos Aires.

Sara: ¿Qué hacen una argentina y un venezolano estudiando periodismo en Salamanca?

Martín: Bueno, a mí me han dado una beca en Venezuela para venir a estudiar a Salamanca durante un año y he decidido aceptarla, porque me encanta viajar y conocer nuevos lugares y culturas distintas.

Laura: Mi historia es bastante larga. Mis padres son españoles y por dificultades económicas emigraron a Argentina poco antes de nacer yo. Ahora ellos son ya mayores y han decidido regresar a España, y yo me he vuelto con ellos.

Sara: Y... ¿os gusta España?

Laura: Sí, a mí me gusta mucho. Es el país de mis padres y, además, Salamanca es una ciudad preciosa.

Martín: Bueno... yo he de reconocer que echo de menos Venezuela: el calor, las frutas tropicales y... ¡sobre todo, el merengue!

Sara: Pero... ¿por qué habéis decidido estudiar periodismo?

Laura: Periodismo es mi segundo estudio, yo ya tengo 42 años; soy diplomada en magisterio, pero he trabajado muchos años como locutora de radio. Siempre me ha gustado mucho el mundo de la comunicación, soy una persona tímida, pero, si por el contrario, hablo para un público que no veo, mi timidez desaparece. Cuando llegué aquí hace dos meses, no sabía qué hacer y, al final, decidí matricularme en periodismo.

Sara: ¡Qué buena idea! Pero... ¿te gusta también la prensa escrita?

Laura: Bueno, no mucho; me encanta leer, pero no precisamente los periódicos.

Martín: ¿Qué haces entonces los domingos por las mañanas?

Laura: Bueno, me encanta escuchar la radio, pasear tranquilamente y visitar museos. ¿Es eso tan raro? ¿Y tú, Martín? Veo que te encanta leer el periódico, pero... ¿es esa la razón por la que estudias periodismo?

Martín: Sí, creo que sí. Me fascina escribir, y pienso que no podría vivir sin el dominical. Tengo 22 años y antes de matricularme en periodismo quería ser escritor, pero me di cuenta de que lo que realmente me gustaba era contar lo que ocurre a mi alrededor; no soy una persona introvertida, pero no me gusta mucho hablar; yo reflexiono sobre lo que veo y lo escribo.

Sara: ¡Pues a mí lo que más me gusta de la carrera de periodismo es viajar!

Laura y Martín: ¿Viajar?

Sara: Sí, viajar. Me gustaría mucho ser corresponsal, estar en el lugar de los hechos y contar lo que veo, no me importa si es por la radio, la prensa o la televisión.

Martín: Pero... ¿has viajado mucho?

Sara: No, solo tengo 18 años y mis padres siempre han sido demasiado protectores, pero... si viajar es mi trabajo... ¡tengo la excusa perfecta!

Laura: Creo que está sonando el timbre, es hora de ir a nuestra primera clase ¿Venís?

Sara y Martín: ¡Vamos!

Pista 2. Costumbres típicas

Martín: ¡A ver, Sara! Ya que estamos en España, explícanos alguna costumbre española.

Sara: ¡Uf! Pero hay muchas. ¿Qué queréis saber?

Laura: A mí me gustaría que nos explicases algo sobre la tan conocida corrida taurina; creo que mucha gente no está de acuerdo con ella, ¿no es así?

Sara: Bueno, a decir verdad, la corrida de toros es una tradición que no se practica en toda España; es muy popular en el centro y en el sur, pero en el norte no hay muchas plazas. Lo mismo ocurre con el flamenco o las sevillanas; todos los extranjeros creen que eso es lo tradicional en toda España, pero la verdad es que cada región tiene su propio folclore.

Martín: Pero... ¡cuéntanos, Sara! ¿En qué consiste una corrida?

Sara: Está bien... En una corrida participan tres toreros, que lidian seis toros; además, la corrida se divide en tres tercios o partes.

Martín: ¿Se hace lo mismo en cada tercio?

Sara: No, en el primer tercio el torero torea con el capote y el picador pincha al toro con la pica, una especie de lanza.

Laura: ¡Qué horror!

Martín: ¡Que siga! ¡Que siga!

Sara: En el segundo tercio los banderilleros ponen al toro tres pares de banderillas.

Laura: ¿Qué son las banderillas?

Sara: Son una especie de flechas de muchos colores, que el torero le clava al toro en la cerviz o parte dorsal del cuello.

Laura: ¡Sigo diciendo que a mí esto me parece una crueldad!

Sara: ¿Puedo seguir? En el último tercio el torero mata al toro con su espada, clavándosela en el corazón.

Martín: ¿Y hay algún premio?

Sara: Sí, los trofeos para el torero son una o las dos orejas del toro y, como premio máximo, el rabo.

Laura: ¿Y quién decide qué torero se lleva el premio?

Sara: Hay un presidente de la plaza, pero es el público el que manifiesta su agrado levantando pañuelos blancos.

Laura: A mí esta fiesta me parece una atrocidad ¿A los españoles, no?

Sara: Para mucha gente es un arte y, para otra mucha, un horror. Cada vez hay más personas en contra de las corridas de toros. Por ejemplo, en Barcelona el parlamento se ha declarado en contra, pues el 80% de la población no está a favor de esta fiesta.

Martín: Sí, parece ser algo complicado de resolver.

Pista 3. Una postal

Querida Sara:

¡Esto es precioso! Ayer estuvimos caminando por la ciudad y estamos realmente impresionados. Ya hemos visto muchas cosas, pero lo que más nos ha gustado ha sido la catedral, es realmente impresionante. Se nota que estamos en el norte de España, porque el tiempo no es muy bueno, ya que no ha parado de llover desde que llegamos; sin embargo, esta mañana hemos visitado la universidad y hemos dado un paseo por el casco antiguo. Anoche cenamos en un restaurante típico y tomamos "pulpo a feira", ¡riquísimo!

Bueno, hasta dentro de unos días.

Muchos besos,

Papá y mamá.

Unidad 1. Segunda parte

Pista 4. Personajes famosos

Pedro Almodóvar. Nació en Calzada de Calatrava en los años 50, pero ha vivido casi toda su vida en Madrid. Es un director de cine español bastante conocido en el extranjero, sobre todo por algunas de sus últimas películas: *Todo sobre mi madre* y *Hable con ella*. No solo los españoles le adoran, sino también los americanos, puesto que en los últimos años le han concedido dos "Oscars".

Físicamente no es nada fuera de lo normal: está un poco gordito, es moreno, aunque ya tiene algunas canas, y tiene su atractivo.

Miguel de Cervantes. Nací en Alcalá de Henares un año del siglo XVI y me he convertido en el escritor español más importante del mundo gracias a mi libro: *Don Quijote de la Mancha*. Pero no crean ustedes que la escritura ha sido mi única tarea; también he sido guerrero y participé en la famosa batalla de Lepanto, en la que, por desgracia, perdí el uso de mi mano izquierda.

Físicamente, soy un hombre de mi época; aunque tengo que reconocer que ya no tengo mucho pelo, todavía conservo una hermosa barba blanca.

Shakira. Nació en Barranquilla (Colombia) el 2 de febrero de 1977. Es cantante y compuso su primera canción con tan solo 8 años. Con 13 firmó un contrato musical con la compañía discográfica Sony. Grabó varios discos sin demasiado éxito, pero sus dos últimos trabajos: *Pies descalzos* y *Servicio de lavandería*, han tenido un gran éxito mundial, pues no canta solo en español, sino también en inglés. En su país natal, Colombia, trabaja para la fundación, "Pies Descalzos", que ayuda a niños víctimas de la violencia.

Físicamente, es una chica atractiva, tiene el pelo rubio, aunque teñido, puesto que su color natural es el negro; es morena de piel y tiene los ojos oscuros; ella se considera una chica normal.

Pista 5. Los vecinos

Mercedes. Tiene 25 años y es la chica más guapa del edificio. Tiene el pelo largo y es muy morena; no es ni alta ni baja, pero sí está un poco regordeta, pues se pasa todo el día comiendo chuches. Es una chica alegre y siempre habla con todo el mundo. Está recién licenciada en Filología Inglesa y ahora trabaja como profesora de inglés en una academia. En su tiempo libre le gusta leer los libros de Harry Potter, ver películas americanas y escuchar música.

Joaquín. Nadie sabe su edad, pero todo el mundo cree que ronda los 50 años. Joaquín es un señor bajito y muy delgado; ahora está calvo, pero él dice que de joven tenía una melena rubia preciosa; también lleva gafas y nunca se separa de su maletín. Joaquín trabaja en un banco y normalmente no habla con nadie, es una persona muy tímida y bastante malhumorada. En su tiempo libre le gusta ver la televisión y jugar al ajedrez con su madre.

Alfredo. Tiene 35 años, está divorciado y tiene dos perros. Es un hombre bastante presumido, pero hay que reconocer que es muy guapo: con ese pelo negro, su 1.80 de estatura y esos ojos azules, ¡está para comérselo! Es bastante simpático, aunque a veces puede ser un poco pesado y bastante tacaño (nunca quiere pagar la comunidad del edificio). Trabaja en una tienda de ropa y en su tiempo libre le gusta ir de compras, pasear a sus perros y navegar por Internet.

Susana. Tiene 27 años y está soltera, aunque ahora tiene novia y parece estar mucho más contenta. Susana es una chica un poco rara, siempre viste de negro y no le gusta nada hablar con la gente, es bastante introvertida. Su forma de vestir contrasta con su corto pelo rubio y sus grandes ojos verdes. Cuando hablas con ella, es una chica maja, pero bastante distante. Trabaja como cartera y colabora como voluntaria para la Cruz Roja. En su tiempo libre le gusta tocar la guitarra, andar en bicicleta y comprar CDs

Silvia. Es una mujer mayor, yo diría que tiene entre 90 y 95 años. Su pelo está totalmente blanco y siempre lo lleva recogido en un moño. Está viuda; su marido murió durante la Guerra Civil y, desde entonces, vive sola. Es una mujer bastante gruñona y muy seria. Se pasa el día cosiendo, bordando y tejiendo jerséis de lana.

Juan. Es un niño de 7 años; vive con sus padres en el edificio y vuelve locos a todos los vecinos. Juan es bajito y delgadito, tiene cara de niño travieso, pues es pelirrojo, y tiene muchísimas pecas en la cara. Estudia Primaria en un colegio cerca de casa. Es un niño travieso, inquieto y un poco vago; lo que más le gusta es jugar al fútbol, coleccionar cromos y comer salchichas.

Pista 6. Costumbres de los españoles

Roberto: ¡Oye, María!, ¿es verdad que los españoles coméis tapas cada día?

María: ¡Claro que no! Si comiésemos tapas cada día, estaríamos gordísimos, pero sí las comemos de vez en cuando, quizás dos o tres veces por semana.

Roberto: Vale, vale. Pero... no me dirás que los españoles no duermen la siesta...

María: ¡Pues tampoco, Roberto! El dormir la siesta es algo típico del sur de España, puesto que en regiones como Andalucía o Extremadura a las tres de la tarde hace demasiado calor y no se puede hacer nada. En el norte no se suele dormir la siesta, pero sí se va a tomar un café o a jugar la partida.

Roberto: ¡Uhhh! Por lo menos...¿sabrás bailar sevillanas?

María: ¡Pues no! Las sevillanas y el flamenco son típicos de Andalucía, pero cada región en España tiene su propia música y bailes tradicionales; por ejemplo, en Galicia se baila la "muiñeira" y se toca la gaita, y en esta región la gente no sabe bailar sevillanas.

Roberto: ¡Vaya! Y...¿cuántas lenguas se hablan en España?

María: Pues nada más y nada menos que cuatro. Junto al castellano, también están reconocidas como lenguas oficiales el gallego, el catalán y el vasco.

Roberto: ¡Anda! ¡Pues sí, creo que tenía una visión bastante equivocada sobre España!

Pista 7. Descripción de una ciudad

Es la capital de España y en ella viven más de tres millones de personas. Situada en el centro del país, es una ciudad de grandes dimensiones. En ella podrá ver monumentos tan impresionantes como el Palacio Real, la Puerta de Alcalá o la fuente de Cibeles, pero si lo que realmente le gusta son los museos, podrá disfrutar viendo las grandes colecciones de arte del museo del Prado o del Reina Sofía. Después de tanta visita cultural, a lo mejor, lo que le apetece es relajarse un poco y darse una vuelta por un parque; en ese caso no dude en acercarse al parque del Retiro o a la Casa de Campo. Pero si lo que verdaderamente le gusta es la "marcha" y la fiesta, tómese unas tapas y unas cañas en el barrio de Malasaña o en Lavapiés.

UNIDAD 2. Primera parte

Pista 8. Actividades cotidianas

Sara: ¡Hola, chicos! ¿Qué tal?

Martín: Muy bien, ¿y tú?

Sara: Bastante bien, pero hoy tengo un día la mar de atareado.

Laura: ¿Por qué? ¿Qué tienes que hacer?

Sara: Bueno, hoy tengo que ir a clase de redacción de nueve a una, es una clase horrible, y ayer me tuve que quedar trabajando en el bar hasta las dos de la mañana.

Martín: ¡Qué mala suerte!

Sara: Además, después de clase tengo que hacer la compra, porque este fin de semana he ido a visitar a mis padres y mi nevera está completamente vacía. Para colmo, tengo que preparar la comida para mi tía, que ha venido al hospital y quiere comer conmigo.

Laura: Pero... al menos tendrás la tarde libre, ¿no?

Sara: ¡Qué va! Después de llevar a mi tía a la estación de tren, debo fregar los platos, porque mis compañeros de piso llegan hoy y no les gusta que la cocina esté sucia, tengo que estudiar para el examen del viernes y leer dos artículos.

Martín: ¿Podrás con todo?

Sara: ¡Claro que sí! Y aquí no se acaba mi día. A las seis debo trabajar en el bar hasta las nueve, porque hay una fiesta de paso de ecuador de la Facultad de Biología y, al acabar, tengo que volver a casa, preparar la cena y ducharme, porque después he quedado con las chicas del grupo de teatro para tomarnos unas copas.

Laura: Pero... ¿crees que resistirás?

Sara: ¡Ufff! ¡No lo sé!

Pista 9. Tareas domésticas

Martín: ¡Estoy harto de que siempre tenga que ser yo el que friega los platos!

Iván: Eso es porque así nos hemos repartido las tareas y, mientras tú friegas los platos, yo tengo que pasar la aspiradora por toda la casa.

David: Yo me encargo cada jueves de limpiar el baño y quitar el polvo.

Martín: Es que odio fregar... ¿No podría[...] a la hora de hacer las tareas?

Iván: Por mí no hay ningún problema.

David: ¡Vale!

Martín: Propongo que cada uno limpie y [...] su habitación; eso significa que deberá hacer la cama, quitar el polvo, ordenar el armario, sacudir las alfombras y pasar la aspiradora. ¿Todos de acuerdo?

David: ¿Qué pasa con las tareas del resto de la casa?

Martín: Para solucionar este problema, tengo una idea: por semanas cada uno hará un trabajo diferente..., por ejemplo, tú, David, puedes encargarte la primera semana de la cocina.

David: Y... esoooo ¿qué significa exactamente?

Martín: Pues eso, significa que tienes que fregar los platos, poner y recoger la mesa, limpiar los hornillos de la cocina, pasarle un trapo a la encimera y barrer y pasarle la fregona al suelo. ¿De acuerdo?

David: ¡Vale! No hay ningún problema.

Iván: Y... ¿qué haré yo?

Martín: Tú te encargarás de limpiar el baño. Eso incluye limpiar la taza del váter, la bañera, el bidé y el lavabo. En el suelo creo que es suficiente con que pases la fregona.

Iván: Y... ¿se puede saber qué harás tú?

Martín: Yo me encargaré de limpiar y ordenar el salón. Eso incluye: quitar el polvo, ordenar las estanterías y pasar la aspiradora. Cada uno haría esto una semana y después cambiaríamos de tarea. ¿Qué os parece?

David: A mí me parece una buena idea.

Iván: Yo también estoy de acuerdo.

Martín: Entonces... ¿trato hecho?

David: e Iván: ¡Trato hecho!

Pista 10. Actividades lúdicas

Martín: ¡Vaya! ¡Por fin es viernes! ¿Qué vais a hacer este fin de semana?

Laura: Pues... ¡muchísimas cosas! El viernes voy a ver una película al cine con mi madre; es una película argentina que tenemos ganas de ver desde hace tiempo. Después del cine vamos a cenar a nuestro restaurante favorito. ¿Y tú, Martín? ¿Qué vas a hacer el viernes?

Martín: Yo el viernes voy a tomar unas copas con mis amigos del equipo de fútbol y, más tarde, vamos a bailar a la discoteca "Panamá". Sara, ¿tú tienes planes?

Sara: ¡Claro! El viernes por la noche tengo ensayo con el grupo de teatro y, más tarde, vamos a salir a tomarnos unas cañas por la zona vieja de la ciudad. El sábado voy a comer a casa de mis padres y por la tarde voy a jugar un partido de baloncesto con el equipo de mi barrio. Y tú, Laura ¿qué vas a hacer el sábado?

Laura: El sábado por la mañana voy a dar un paseo por el parque que está enfrente de mi casa y después voy a comer con unos amigos. Por la tarde tenemos pensado ir a la exposición de Picasso que hay en el museo de Arte Contemporáneo. ¿Planes para el sábado, Martín?

Martín: Pues todavía no. Creo que el sábado me voy a levantar muy tarde, ya que cada vez que salgo con los del equipo de fútbol llego muy tarde a casa. Después de comer, voy a dar una vuelta con Luis y creo que voy a acostarme temprano. Pero...¿os apetece hacer algo juntos el domingo?

Sara: ¡Vale! Yo el domingo por la mañana voy a tomar unas tapas con Marisa, pero a partir de las cuatro estoy libre.

Laura: A mí me viene perfecto, para el domingo no tengo ningún plan.

Martín: ¡Fantástico! Entonces... ¡hasta el domingo!

Unidad 2. Segunda parte

Pista 11. Rutinas diarias

José Luis. Hola, me llamo José Luis y tengo 24 años; trabajo como panadero en una pastelería de Salamanca. Debido a mi trabajo, llevo un ritmo de vida bastante distinto a lo normal. De lunes a viernes suelo levantarme tempranísimo, a eso de las cuatro de la mañana; con mucha rapidez y sin desayunar, cojo la moto y me dirijo a la pastelería. Allí me esperan mis compañeros Víctor y Sonia, con ellos me tomo un café y dos bollos. Trabajo haciendo pan y pasteles hasta las ocho de la mañana, cuando llega Arturo, que es el repartidor. Suelo llegar a casa sobre las diez y, después de ducharme y desayunar, me voy a la cama. Normalmente duermo hasta las cuatro de la tarde, pues me levanto para comer, limpiar la casa, leer el periódico y tomarme un café con los amigos. Suelo acostarme a las ocho, puesto que deberé levantarme muy temprano, a las cuatro.

Luisa. Hola a todos. Mi nombre es Luisa y tengo 36 años. Soy escritora y, como mucha gente dice, este es el mejor trabajo del mundo. Debido a que trabajo en casa y soy mi propia jefa, tengo un horario bastante flexible. Suelo levantarme a las diez de la mañana, me ducho y me preparo un desayuno muy completo, que tomo mientras escucho la radio. A eso de las doce me siento delante del ordenador y escribo hasta las dos; a veces escribo mucho y otras, casi nada, ¡todo depende de la inspiración! A las dos preparo la comida; a veces salgo a comer a algún restaurante con amigos. Sigo escribiendo a las cinco y no paro hasta las ocho; a esta hora salgo a tomar unas tapas y a charlar con mi mejor amiga, Elena. A las once vuelvo a casa y me preparo una cena ligera, que me como mientras veo la tele o leo el periódico.

Ricardo. Buenos días. Yo soy Ricardo y tengo 42 años. Trabajo como director ejecutivo de una conocida empresa internacional. Mi trabajo absorbe casi toda mi vida y estoy viajando constantemente. Casi nunca hago las mismas cosas. Algunos días me levanto muy temprano, porque tengo que coger un avión y volar a Japón para asistir a una reunión importante, otros días, sin embargo, me levanto tarde, porque la noche anterior he tenido una cena de trabajo hasta las tantas. Como pueden ver, llevo una vida bastante irregular y ajetreada, aunque tengo que reconocer que en el futuro me gustaría formar una familia y tener una casa; ahora me gusta mi trabajo, porque me fascina conocer gentes y culturas diferentes.

Pista 12. Actividades de una ama de casa

Hola, soy Mari Carmen y trabajo como ama de casa. Mucha gente piensa que las amas de casa no hacemos nada y que llevamos una vida muy relajada, pero eso no es verdad.

Por las mañanas, mi despertador suena a las siete y media; rápidamente me levanto de la cama y voy a la cocina a prepararles el desayuno a mis hijos, antes de que se vayan para el colegio. Cuando mis hijos y mi marido ya se han ido, empiezo con las tareas del hogar. Primero hago las camas y arreglo y ventilo los dormitorios. A continuación paso la aspiradora por toda la casa, quito el polvo en el salón y limpio los baños. Alrededor de las doce y media, salgo de casa con dirección al mercado; aquí compro la carne y el pescado; luego voy a la panadería y, por último, al supermercado para hacer el resto de las compras. Cuando llego a casa, a eso de la una y media, preparo la comida y pongo la mesa. A las dos y media llegan mi marido y mis hijos; es muy agradable poder comer todos juntos, pero tan pronto como ellos se marchan yo me pongo a fregar los platos y a recoger la cocina. Por la tarde, después de ver mi telenovela, doblo y plancho la ropa recién lavada. A las cinco llegan los niños del colegio y les preparo la merienda y les ayudo con sus deberes. A las ocho y media empiezo a preparar la cena; después de cenar acuesto a los niños y friego los platos.

Como veis, la vida del ama de casa no es tan relajada como muchos piensan.

Pista 13. Actividades durante unas vacaciones

Laura: ¡Hola, Javier! ¡Cuánto tiempo sin verte! ¿Dónde has estado?

Javier: ¡Hola, Laura! Sí, hace mucho tiempo que no nos vemos; es que he estado un mes de vacaciones en Perú.

Laura: ¿En Perú?

Javier: Sí, he estado visitando el país y, después de un mes viajando, tengo que admitir que es impresionante.

Laura: Y... ¿qué has hecho durante las vacaciones?

Javier: Bueno, normalmente solía levantarme bastante temprano para poder aprovechar el día y ver muchas cosas. Desayunaba en el hotel y después solía dar un largo paseo por la ciudad. Después de comer, alquilaba un coche e iba a visitar los pueblos de alrededor de la capital; allí visitaba iglesias, museos y, sobre todo, disfrutaba de la naturaleza.

Laura: ¡Qué interesante! ¿Qué solías hacer por las noches?

Javier: Por las noches, cuando regresaba al hotel, me gustaba relajarme leyendo el periódico, viendo la televisión o hablando con los distintos turistas que se hospedaban en el hotel.

Laura: Pero... ¿has disfrutado?

Javier: Sí, muchísimo. La verdad es que Perú es un país fantástico.

UNIDAD 3. Primera parte

Pista 14. ¿Dónde quedamos?

Laura: ¡Hola, chicos! ¿Qué tal?

Martín: Bien, ¿y tú? ¿Cómo andas?

Laura: Bastante bien, aunque algo agobiada por culpa de los exámenes.

Sara: Creo... que deberíamos hacer algo divertido para olvidarnos durante un rato de todo el estrés y la preocupación.

Martín: Me parece que Sara tiene razón. ¿Qué os gustaría hacer?

Laura: A mí me encanta ir al cine. Las películas que más me gustan son las francesas. ¿Os gusta ir al cine?

Sara: A mí no mucho; además, esta tarde no me apetece ir ¿Qué os parece si vamos a ver la exposición de Dalí al Museo de Arte Contemporáneo?

Martín: Sara y su arte; yo creo que paso. Me han dicho que esta tarde en el Teatro Principal representan la obra de Lorca *Bodas de sangre* ¿No tenéis ganas de ir?

Laura: ¿Por qué no? A mí lo del teatro me parece una buena idea.

Sara: Por mí, ¡vale! ¿A qué hora quedamos?

Martín: Si queréis, podemos quedar a las cinco y media; la obra no empieza hasta las seis.

Laura: Bien, y... ¿dónde quedamos?

Sara: Creo que sería buena idea quedar delante del Teatro Principal; enfrente hay una cafetería y podemos tomarnos algo antes de entrar a ver la representación. ¿Os parece?

Martín: Por mí, perfecto. Entonces, a las cinco y media delante del Teatro Principal, y... Sara, procura ser puntual.

Sara: Vale, vale, a las cinco y media en el Principal, allí estaré. Hasta entonces.

Laura: Hasta después.

Martín: Chao.

Pista 15. En el Teatro Principal

Laura: ¡Uff! ¡Casi no llego! He perdido el autobús de las cinco y, ¡para colmo de males!, ha habido un accidente en la Avenida de Lugo y hemos estado parados más de quince minutos.

Martín: Pues... ¡tranquilízate! Porque Sara, para no variar, todavía no ha llegado.

(15 minutos más tarde)

Sara: ¡Lo siento, lo siento muchísimo! Os prometo que salí de casa a tiempo, pero por el camino me he encontrado con Ramiro y nos hemos puesto a hablar y... cuando me he dado cuenta ya eran las cinco y media.

Martín: Ya, ya...

Laura: Bueno, dejaos de tantas explicaciones y vamos a comprar las entradas.

(En la taquilla del Teatro Principal)

Empleado: Hola, buenas tardes. ¿En qué puedo ayudarles?

Martín: Hola, buenas tardes. Queríamos tres entradas para la función de las seis.

Empleado: Por supuesto, ¿para dónde las quieren: palco, gallinero o patio de butacas?

Martín: Denos las más baratas por favor.

Empleado: En ese caso, me temo que tendrán que irse para el gallinero.

Martín: No hay problema. ¿Cuál es el precio de la entrada? ¿Tienen descuento para estudiantes?

Empleado: El precio de la entrada es de 8 euros y de 5 euros para estudiantes.

Martín: Perfecto, entonces deme tres entradas con descuento.

Empleado: Aquí tiene; son 15 euros, por favor.

Martín: Gracias.

Empleado: A ustedes, y disfruten de la función.

Pista 16. Inscribirse en un curso

Secretaria: Gimnasio "La energía", buenos días, ¿en qué puedo ayudarle?

Laura: Hola, buenos días. Me gustaría empezar un curso de natación. ¿Sería tan amable de informarme sobre los precios y las posibilidades que tienen?

Secretaria: Por supuesto, en nuestro gimnasio ofrecemos distintos tipos de cursos de una duración de dos meses. ¿Sabe usted nadar?

Laura: Sí, claro. Padezco de problemas de espalda y el médico me ha recomendado hacer ejercicio para fortalecer los músculos.

Secretaria: En ese caso, creo que le interesará el curso de natación terapéutica, o bien, el curso de perfeccionamiento.

Laura: ¿Qué días se imparten los cursos?

Secretaria: El curso de natación terapéutica es los lunes, de ocho a nueve y media de la noche, y los jueves, de cinco a seis y media de la tarde.

Laura: Vale, y... ¿el de perfeccionamiento?

Secretaria: El curso de perfeccionamiento es los martes, de seis menos cuarto a siete y cuarto, y los viernes, de seis a siete y media de la tarde.

Laura: ¿Tienen algún curso por las mañanas?

Secretaria: Sí, tenemos un curso básico, de diez y media a doce del mediodía los miércoles, y de nueve a diez y media los viernes.

Laura: Muy bien. ¿Cuánto cuestan los cursos?

Secretaria: El curso de perfeccionamiento cuesta 130 euros, y con carné de estudiante, 115.

Laura: Vale, y... ¿el curso de natación terapéutica?

Secretaria: Ese es un poquito más caro; son 180 euros, sin posibilidad de descuento alguno. El curso básico de las mañanas es de 115, y para estudiantes son 100 euros.

Laura: Perfecto, me gustaría inscribirme en el curso de perfeccionamiento. ¿Qué necesito para formalizar la inscripción?

Secretaria: Necesita rellenar un formulario y traer una foto de carné. Puede pagar al contado o con tarjeta.

Laura: Muchas gracias.

Secretaria: A usted.

Unidad 3. Segunda parte

Pista 17. Gustos y aficiones

Hola, me llamo Roberto y tengo 34 años. Soy rubio y bastante alto. Trabajo como cartero, y los miércoles soy voluntario en la Cruz Roja.

En mi tiempo libre me gusta leer novelas de detectives y comics de "Asterix", ir al cine (mis películas favoritas son las de dibujos animados), caminar por el parque, tocar la guitarra y escuchar la radio.

Odio hacer la colada, ir de compras y hacer deporte.

Si eres una chica entre 30 y 35 años y te gusta lo mismo que a mí, no dudes en ponerte en contacto conmigo; prometo hacerte pasar un rato agradable.

Pista 18. Conversaciones formales e informales
Conversación 1

C: ¡Hola! Quiero dos entradas para la sala 2.

T: ¿Tienes carné de estudiante?

C: ¡Uh! ¡No sé en que demonios estoy pensando! Creo que lo he olvidado en casa.

T: Si no tienes el carné no puedo hacerte el descuento.

C: ¡Pero... te prometo que sí soy estudiante! Estoy en el segundo año de psicología.

T: Bueno, vale, por esta vez te creo pero la próxima vez no te lo olvides. Son 9 euros.

C: Gracias. Hasta luego.

T: Hasta luego.

Conversación 2

T: Hola, buenas tardes, ¿puedo ayudarle en algo?

C: Sí, quería un billete de ida y vuelta para Valencia. ¿Existe algún tipo de descuento?

T: ¿Es usted estudiante?

C: Desafortunadamente ya no.

T: En ese caso, me temo que tendrá que pagar la tarifa completa.

C: ¿Cuánto cuesta el billete?

T: Sin descuento son trece euros.

C: Aquí tiene. ¿Sería tan amable de indicarme a qué andén tengo que dirigirme para coger el tren?

T: El tren llegará al andén cuatro a las cinco en punto.

C: Muchas gracias y buenas tardes.

T: Que tenga un buen viaje.

Pista 19. Rellenar un formulario

M: Hola, buenos días, me gustaría inscribirme en un curso de danza. ¿Podría informarme sobre qué cursos tienen en el centro cultural?

S: Tenemos dos cursos de danza. Uno es de danza contemporánea y el otro es de ballet clásico.

M: Vale. ¿Qué días son los cursos?

S: El curso de danza contemporánea es el lunes, de ocho de la tarde a nueve y media de la noche, y el curso de ballet clásico es los miércoles, de cinco a seis y media de la tarde.

M: Bien, en ese caso creo que voy a inscribirme en el curso de danza contemporánea. ¿Qué necesito para formalizar la inscripción?

S: Tiene que rellenar un formulario, pero si me da sus datos personales yo puedo ayudarle. Dígame su nombre completo, por favor.

M: Me llamo María García Moreno

S: ¿Cuántos años tiene?

M: Tengo 35 años.

S: ¿DNI?

M: 44361235-B.

S: ¿Pagará con tarjeta o en efectivo?

M: En efectivo.

S: Firme aquí, por favor. Ya está. El curso empieza el próximo lunes.

M: Muchas gracias.

S: A usted.

UNIDAD 4. Primera parte

Pista 20. Buscando nueva vivienda (A)

Sara: ¡Hola! Estoy hecha polvo, me he pasado todo el fin de semana estudiando como una loca para el examen de argumentación de mañana.

Laura: Pues yo no he hecho absolutamente nada, me he pasado un fin de semana de lo más relajado del mundo. ¿Y a ti, Martín, cómo te ha ido?

Martín: Pues... ¡no os lo vais a creer pero... tengo que buscar un nuevo piso!

Sara y Laura: ¿Quééééé?

Martín: Pues lo que oís, el casero nos ha dicho que vayamos haciendo las maletas, porque el mes que viene nos quiere fuera de su casa.

Sara: ¿Y qué vas a hacer?

Martín: ¡Pues tú qué crees! Empezar a buscar como un loco.

Laura: Aquí en Salamanca no es demasiado difícil encontrar piso, sólo tienes que fijarte un poco; la facultad está llena de anuncios de gente que busca compañeros; además, también puedes echar mano del periódico.

Martín: Sí, a lo mejor no es tan difícil...

Sara: Otra buena manera de encontrar piso es preguntar a la gente, siempre encuentras a alguien que conoce a otra persona que alquila un piso o que busca un compañero...

Martín: Sí, tenéis razón, y quizás esto no sea tan mala idea; además, creo que me vendrá bien cambiar de aires.

Pista 21. Buscando nueva vivienda (B) Sara: Martín, vaya cara que traes; ¿qué te ha pasado?

Martín: Pues... nada, que llevo buscando piso durante dos días y no he encontrado nada que me guste realmente.

Laura: Quizás seas demasiado exigente. ¡A ver, cuéntanos! ¿Cómo es tu piso ideal?

Martín: Bueno, la verdad es que me gustaría tener un piso céntrico que tuviera terraza o... ¡al menos un pequeño balcón!

Sara: Eso no creo que sea un problema, Salamanca está llena de casas con balcones.

Martín: Además, me gustaría que tuviese una cocina grande y luminosa, con lavadora, microondas y nevera. Un salón acogedor y completamente amueblado, un dormitorio amplio con armario y un cuarto de baño con bañera.

Laura: Creo, Martín, que pides demasiado: piso céntrico, con balcón, bañera, amueblado... Cuánto estás dispuesto a pagar por todo eso?

Martín: No más de 350 euros mensuales.

Sara: En ese caso, pienso que tendrás que rebajar tus expectativas y buscarte algo más simple.

Martín: Quizás tengáis razón...

Pista 22. Comprensión de anuncios

Anuncio 1. Se alquila piso de 60 metros cuadrados, totalmente amueblado, en el centro de Salamanca, muy luminoso y con un gran balcón. Salón, cocina amplia, totalmente equipada, un baño enorme con bañera, un dormitorio con armario empotrado y calefacción central en todas las habitaciones. 350 euros al mes con todo incluido. Si está interesado, póngase en contacto con la inmobiliaria "La Rosa" o llame al 984567892.

Anuncio 2. Se vende piso de 80 metros cuadrados sin amueblar en la periferia de Salamanca, con un pequeño jardín y una plaza de garaje. Un gran salón, cocina, dos baños, un dormitorio y una despensa. El edificio proporciona la posibilidad de usar la piscina comunitaria. Precio a convenir. Llame ahora al 986546523.

Anuncio 3. Se alquila habitación en un piso compartido con dos estudiantes de Economía en el centro de Salamanca. Cocina pequeña pero un gran salón, baño, y tres dormitorios amplios y luminosos. Calefacción central y una gran terraza en la parte trasera de la casa. Si te interesa, ponte en contacto con nosotros en el: 654372341.

Anuncio 4. Se alquila piso de lujo grande, totalmente amueblado, situado en un céntrico y agradable vecindario en la ciudad de Salamanca. Jardín, plaza de garaje, piscina comunitaria, y pista de tenis. Sus 120 metros cuadrados se reparten en cuatro amplios y luminosos dormitorios, dos salones, una cocina, dos baños (uno de ellos con jacuzzi) y una amplia despensa. Precio: 1500 euros al mes, más gastos. En el caso de estar interesado, no dude en ponerse en contacto con la inmobiliaria "La Llave".

Pista 23. Entrevista con el casero

Martín: Hola, buenos días, soy Martín Valderrama y venía a ver el piso del anuncio.

Carlos: Buenos días, yo soy Carlos. Pasa, pasa...

(Dentro del piso)

CARLOS: Como ves, no es un piso muy grande, pero tiene grandes ventanas y durante el verano el sol entra por la cocina y es muy agradable.

Martín: El anuncio ponía que la cocina estaba totalmente equipada, pero yo no veo la lavadora.

Carlos: Es cierto, ha habido un error en el anuncio, este piso no tiene lavadora.

Martín: Pero para mí es muy importante la lavadora; practico deportes regularmente y necesito lavar mi ropa a menudo.

Carlos: Lo entiendo pero... me temo que no va a ser posible, el alquiler es muy barato y, si tuviese que comprar una lavadora, sería para mí una inversión importante, que no puedo permitirme en estos momentos.

Martín: En ese caso... me temo que no me interesa.

Carlos: ¡Espera, espera un momento! Creo que podríamos llegar a un acuerdo.

Martín: Soy todo oídos

Carlos: Compraré una lavadora y subiré el alquiler a 390 euros, todo incluido. ¿Qué te parece?

Martín: No, me parece demasiado caro.

Carlos: ¿Demasiado caro? Esta bien... lo dejamos en 380.

Martín: 360.

Carlos: 375.

Martín: 365.

Carlos: 370 es mi última oferta.

Martín: Está bien, trato hecho.

Unidad 4. Segunda parte

Audición 24. Distintos modos de vida

Javier: ¡Hola, Ester! ¿Qué tal el fin de semana en el campo?

Ester: Pues... ¡muy bien! La verdad es que necesitaba un poco de tranquilidad.

Javier: Tú no eres originariamente de Sevilla, ¿verdad?

Ester: No, he nacido en Alora, un pueblo muy pequeñito cerca de Málaga.

Javier: Y... ¡cuéntame! ¿Cómo es la vida en Alora?

Ester: Pues... me imagino que como en todos los pueblos pequeños, la vida transcurre despacio y la gente se conoce unos a otros.

Javier: Pero... ¿te gusta?

Ester: Bueno..., tiene sus cosas positivas y negativas. Me encanta poder hablar con la gente cuando voy a la plaza a comprar fruta y pescado; también me gusta poder pasear con tranquilidad y tomarme una caña en la terraza de un bar.

Javier: Pero creo que es un poco aburrido, ¿no?

Ester: El problema fundamental es que dependes del coche para todo. En Alora no hay cine, teatro o discotecas y, si quieres salir, tienes que irte a Málaga, y eso es siempre un poco incómodo.

Javier: He oído que en los pueblos a la gente le gusta mucho cotillear sobre los demás, ¿es eso cierto?

Ester: Bueno, la verdad es que, a veces, la gente mete las narices en lo que no le interesa, pero también es cierto que si tienes un problema la gente intenta ayudarte en todo lo que puede.

Javier: Pero... ¿dónde prefieres vivir, en el pueblo o en la ciudad?

Ester: Ahora estoy muy contenta en Sevilla; las posibilidades de entretenimiento son muchas, por ejemplo, puedes ir a dar un paseo al parque, ver una película en el cine o inscribirte en alguna actividad; creo que vivir en una ciudad te da más independencia y posibilidades, pero también te puede hacer sentir muy sola.

Pista 25. Berta busca piso

Hola, me llamo Berta y desde hace un mes estoy buscando piso en Madrid. Tengo 24 años, no fumo y estudio Ingeniería Naval. Me gustaría alquilar un piso céntrico, compartido con uno o dos estudiantes más, preferentemente chicas. Me gustaría tener un dormitorio individual y luminoso. En cuanto al resto de la casa, me encantaría tener un salón amplio, una cocina equipada y un baño. Estoy dispuesta a pagar 400 euros al mes, todo incluido.

Pista 26. Averías en el piso

Lucas: Hola, buenos días. ¿Podría hablar con el señor Castuera, por favor?

Sr. Castuera: Sí, soy yo, ¿con quién hablo?

Lucas: Soy Lucas Vidal y estoy alquilando un piso de su propiedad en la calle Nueva.

Sr. Castuera: ¡Ah, sí! Ahora me acuerdo. ¿En qué puedo ayudarte?

Lucas: Desde que he llegado la calefacción no funciona y... hace un mes eso no suponía ningún problema, pero ahora empieza a hacer bastante frío por las noches y me gustaría que viniese un experto a arreglarla.

Sr. Castuera: De acuerdo, esta misma tarde llamaré a un técnico para que se encargue de arreglar la avería. ¿Algo más?

Lucas: Sí, hay otro pequeño problema; el calentador del agua se estropeó ayer y, desde entonces, no tenemos agua caliente.

Sr. Castuera: Entiendo..., está misma tarde intentaré que un fontanero se pase y solucione el problema.

Lucas: De acuerdo, muchas gracias.

Sr. Castuera: De nada. Hasta luego.

REPASO Y EVALUACIÓN. Bloque 1

Pista 27. En la agencia matrimonial

Andrea. ¡Hola! Me llamo Andrea y tengo 26 años. Soy una chica alta y delgada, tengo el pelo rubio y largo y unos grandes ojos azules; la gente dice que me parezco a Madonna, no sé, quizás sea cierto... Soy una chica habladora, extrovertida y con un gran sentido del humor. En mi tiempo libre me gusta leer novelas románticas, escuchar música e ir al zoo. En estos momentos trabajo como cajera en un supermercado, pero mi gran sueño es ser cantante; mis amigos dicen que no lo hago mal. Busco a un chico de entre 25 y 30 años de edad, divertido y simpático, al que le guste salir con amigos, ir de fiesta y los animales.

Catalina. Mi nombre es Catalina y tengo 53 años. Soy una mujer asturiana que, desde hace siete años, vive en Madrid. Soy una señora reservada y amante del hogar y me gustan las veladas tranquilas y las conversaciones ante una buena cena. Físicamente soy bastante bajita, con ojos oscuros y muy morena, aunque ya empiezo a tener alguna que otra cana. Busco a un hombre de entre 45 y 60 años de edad, al que le guste la vida tranquila, disfrute ayudando a los demás y... que esté dispuesto a empezar una nueva vida a mi lado.

Alejandra. Soy Alejandra y tengo 33 años. Soy una mujer independiente y trabajadora que, desde hace cinco años, tiene un cargo de gran responsabilidad en una conocida multinacional. Soy una persona ambiciosa y con mucho carácter, diplomática y educada. Físicamente la gente me dice que soy la típica mujer de negocios: alta, esbelta y elegante. En mi tiempo libre me gusta ir al teatro, salir de copas con mis amigos e ir a galerías de arte. Busco a un hombre de entre 35 y 40 años de edad, que tenga una posición social elevada, le guste trabajar y esté interesado en el arte.

Nicolás. Me llamo Nicolás y soy un hombre peruano de 56 años. Vivo en España desde hace 15 años y soy viudo desde hace tres. Soy una persona sencilla, casera y familiar, no me gusta el jaleo. Una de mis grandes aficiones es cocinar; mi especialidad es el ceviche. Físicamente soy un hombre bajito y un poco rellenito; aunque tengo algunas canas, soy moreno con ojos verdes. Trabajo como director de proyectos para la organización "Amnistía Internacional". Busco a una mujer de entre 45 y 55 años de edad, a la que le guste la vida tranquila y que disfrute con pequeños placeres, como la buena comida y la buena bebida.

Javier. Hola, me llamo Javier y tengo 38 años. Soy una persona exigente conmigo mismo y me gustan las cosas bien hechas; en un trabajo doy lo máximo de mí y exijo lo mismo de los demás. Mi afán de superación y perfeccionismo me ha llevado a ser director del Banco de España. La preocupación por mi carrera profesional me ha hecho olvidarme de mi vida personal y, por eso, ahora busco una mujer inteligente e independiente, que pueda comprender que el éxito profesional es muy importante para mí. En mi poco tiempo libre me gusta ir a museos, ver alguna película y salir de copas. Físicamente, soy un hombre atractivo, alto, rubio y con ojos azules; creo que la apariencia física es importante y por eso voy al gimnasio unas dos o tres veces por semana para mantenerme en forma.

Rodrigo. Hola, soy Ángel y tengo 29 años. Acabo de terminar la carrera de Veterinaria y, la verdad, es que, mientras no encuentro trabajo de lo mío, me gano la vida como empleado en una tienda de animales. Soy un chico abierto y divertido, al que le gusta hablar ¡incluso con las piedras!, y amante del mundo animal. En mi tiempo libre salgo a pasear con mi perro Chucho, me voy de juerga con mis colegas o leo cómics. Físicamente soy un chico del montón, nada espectacular pero... ¡tampoco estoy mal! Tengo una estatura media, soy delgado, moreno y con muchos rizos. La apariencia física, para mí, no es importante; yo, lo que busco, es una chica de entre 25 y 30 años de edad, que sea alegre y simpática y que quiera venir a pasear a Chucho conmigo.

Pista 28. Vida diaria de tres personas

Alberto: ¡Hola! Yo soy Alberto y... vosotros sois...

David: Yo soy David

Cristina: Me llamo Cristina, encantada. ¿A qué os dedicáis?

Alberto: Yo soy electricista y tengo una compañía propia, con cinco empleados que trabajan para mí.

David: Yo soy médico y trabajo en un policlínico. Cristina, tú, ¿a qué te dedicas?

Cristina: Yo tengo una granja, vendo la carne, la leche y los huevos que producen mis animales.

David: ¡Vaya! ¡qué interesante! ¿Cómo es la vida en una granja?

Cristina: Bueno... la verdad es que uno no tiene tiempo de aburrirse... Normalmente me levanto a las seis, voy a ordeñar las vacas y doy de comer a los cerdos y a las gallinas. Después vuelvo a casa y desayuno: me bebo un gran tazón de leche recién ordeñada y como un poco de pan. A eso de las diez llevo a las vacas a pastar al prado y allí me quedo con ellas hasta el mediodía; luego regreso a casa y preparo la comida para mi marido y para mí. Solemos comer a eso de la una, tempranito, y después de una pequeña siesta nos vamos a segar la hierba para dársela a las vacas. Sobre las seis voy a la huerta a recoger algunas verduras y frutas para la cena. Cenamos temprano, alrededor de las nueve, porque al día siguiente hay que trabajar otra vez; en el campo no existen los fines de semana.

Alberto: ¡Madre mía, Cristina! Ser campesina es muy duro. Yo, sin embargo, llevo una vida más relajada. Mi trabajo no tiene un horario fijo, depende de la cantidad de averías. Últimamente estoy muy ocupado, pero eso son rachas... Normalmente me levanto a las diez, a no ser que haya una emergencia que necesite un arreglo inmediato, cojo la furgoneta y me dirijo a la primera casa. Me gusta mucho mi trabajo, la gente suele ser muy amable y me encanta ver el interior de tantas casas diferentes. El trabajo es variado y, unas veces, arreglo enchufes e instalo lámparas y, otras, pongo a funcionar contadores estropeados y conecto teléfonos; cada chapuza suele durar sobre una hora u hora y media. Por la mañana suelo hacer entre tres y cuatro chapucillas y luego me voy a casa a comer. A eso de las cinco empiezo de nuevo y suelo terminar sobre las ocho. Me gusta ser electricista, porque cuando llegas a casa por la noche... ¡eres completamente libre!

David: La vida de un médico es muy diferente; en días normales me suelo levantar a las ocho, empiezo a recibir pacientes a las nueve y no paro hasta las dos. Me voy a comer a casa con mi mujer y mis dos hijas. Por la tarde, a eso de las cuatro regreso al policlínico para arreglar papeles, repasar diagnósticos, etc. Una vez al mes tengo guardia; eso significa que, si ocurre un accidente o alguien se pone muy enfermo a altas horas de la madrugada, tengo que atenderlo; esta es la parte más dura de mi trabajo: es agotador no poder dormir las horas suficientes y, al día siguiente, tener que trabajar igual.

Cristina: Creo que me quedo con la vida de campesina...

Pista 29. Planes para el fin de semana

Álvaro: ¿Qué tal ha ido el trabajo, Mila?

Mila: Bien, pero me alegro de que sea viernes; necesito desconectar de esta oficina...

Raquel: ¿Por qué no hacemos algo juntos este fin de semana?

Álvaro: Por mí, ¡genial! No tengo ningún plan y no me apetece quedarme en casa.

Mila: ¿Qué os parece si vamos a tomar algo y luego a ver una película?

Raquel: A mí me parece muy buena idea. Almodóvar ha estrenado su nueva película y me encantaría verla.

Álvaro: ¡Vale! A mí también me gustan mucho las pelis de Almodóvar. ¿Qué os parece si vamos a la sesión de las 10 y después cenamos?

Mila: Sí, hace tiempo que quiero ir a comer al nuevo restaurante que han abierto cerca de mi casa.

Raquel: ¿Qué tipo de comida sirven?

Mila: Es un restaurante argentino, por lo que me imagino que servirán churrasco.

Álvaro: ¡Umm! ¡Qué rico! Yo me apunto.

Raquel: Yo también, me encanta la carne argentina.

Mila: ¡Vale! ¿Quedamos entonces a las diez menos cuarto en la entrada del cine?

Álvaro: Mejor a las nueve y media; es viernes y suele haber mucha gente.

Mila: Bien, pues... a las nueve y media.

Raquel: Nos vemos. ¡Hasta luego!

Álvaro: Chao.

Pista 30. Buscando piso

Marta: La verdad es que lo que buscamos es un piso acogedor y céntrico.

Fernando: Sí, Marta y yo trabajamos en el centro de la ciudad y, si vives en las afueras, te pasas todo el día en el transporte público.

Marta: Sí, la localización es muy importante, pero a mí también me gustaría que tuviese un balcón, aunque fuese pequeño.

Fernando: A mí lo del balcón también me parece buena idea. En un futuro nos gustaría tener niños y, así, el pequeño podría jugar fuera.

Marta: No nos importa si el piso está o no amueblado, tenemos nuestros propios muebles, aunque bastante viejos, pero lo que sí es imprescindible es que la cocina esté completamente equipada, con lavadora, horno, nevera... y demás electrodomésticos.

Fernando: Sí, siempre hemos vivido en casas de alquiler y no tenemos ninguno de estos aparatos.

Marta: En cuanto al precio, podríamos pagar un máximo de 1300 euros al mes.

Marta y Fernando: ¿Podéis encontrarnos algo de acuerdo con nuestras exigencias?

Bloque 2

UNIDAD 5. Primera parte

Pista 31. ¿Adónde vamos?

Martín: ¡Hola! ¿Qué vamos a hacer esta noche? Es sábado y no me apetece nada quedarme en casa.

Laura: Pues yo estoy realmente cansada; creo que esta noche me quedaré en casa.

Martín: Yo también estoy un poco cansado, pero podemos ir a cenar tranquilamente a un restaurante; ¿qué os parece?

Sara: A mí me parece buena idea. Hoy quiero acostarme pronto, porque mañana tengo un ensayo de teatro a las nueve.

Laura: Vale, yo también me apunto, pero solo si regresamos a casa temprano.

Martín: Trato hecho. ¿Adónde os apetece ir?

Sara: Yo no tengo mucho dinero, así que a un restaurante baratito, por favor.

Laura: Conozco un restaurante cerca de la estación, se come muy bien y, además, creo que no es muy caro.

Martín: ¿Qué tipo de platos sirven?

Laura: Bueno, creo que tienen algo de todo, pero la especialidad de la casa son los chorizos asados.

Sara: Yo no tengo mucha hambre y los chorizos asados me parecen demasiado pesados. ¿Por qué no vamos a un japonés?

Martín: Lo siento, Sara, pero ya sabes que a mí esas comidas tan exóticas no me hacen gracia. Propongo irnos de tapas por la zona vieja de la ciudad; las tapas no son caras y, además, cada uno puede elegir lo que más le apetezca.

Sara: De acuerdo, vamos de tapas. ¿Quedamos a las nueve y media delante del bar Azul?

Laura: Vale, hasta entonces.

Martín: Adiós.

Pista 32. En el restaurante

Camarero: Hola, chicos, ¿qué va a ser?

Sara: Ummmm, yo todavía no lo tengo claro. ¿Te importaría volver dentro de un ratito?

Camarero: ¡Claro! Tomaos el tiempo que necesitéis.

(Un ratito más tarde.)

Camarero: ¿Qué os pongo para beber?

Martín: ¿Tenéis vino de la casa?

Camarero: Sí.

Martín: Vale, a mí me traes un vino, por favor.

Sara: Yo quería una caña de cerveza.

Laura: A mi me traes un zumo de piña.

Camarero: Muy bien. ¿Y qué queréis para comer?

Martín: La tortilla... ¿lleva cebolla?

Camarero: No.

Martín: Entonces, para mí una ración de tortilla, por favor.

Laura: Yo quiero una ración de chipirones fritos y una de queso.

Camarero: ¿Y para ti?

Sara: Es una elección difícil, la verdad es que todo tiene muy buena pinta.

Camarero: Yo te recomiendo la sopa de truchas, es la especialidad de la casa.

Sara: Vale, pues entonces ponme un plato de sopa de truchas.

Camarero: Perfecto, enseguida os traigo todo.

(Después de la comida.)

Camarero: ¿Qué tal estaba todo?

Sara: Riquísimo.

Camarero: ¿Queréis algo de postre? Tenemos una tarta de queso que está para chuparse los dedos.

Laura: Vale, a mí me traes un trocito de esa tarta.

Camarero: ¿Y para vosotros?

Sara: Yo quería un cortado.

Martín: A mí me traes un café solo, por favor.

Pista 33. Usos y costumbres culinarias

Los españoles tenemos fama de ser grandes comilones y creo que, si nos comparamos con otros países europeos, es cierto. En España la cultura gastronómica tiene una gran importancia, pues la mayoría de los eventos importantes, como por ejemplo, una boda o un cumpleaños, se celebran en torno a la mesa. Tradicionalmente en España se hacen dos comidas calientes al día: el almuerzo y la cena. El desayuno, aunque debería ser completo y energético, no tiene demasiada importancia para los españoles. Normalmente solemos desayunar un café con leche, acompañado, en algunos casos, de los famosos churros. A media mañana, a eso de las doce del mediodía, nos tomamos un tentempié, que normalmente es fruta o una tapa.

El almuerzo, hacia las 2.30, es variado y suele ser una combinación de verduras, carne y pescado; el postre es algo ligero, como fruta o yogur, y después siempre nos tomamos un café. Sobre las seis de la tarde los niños y algunos adultos se toman la merienda. Esta comida consiste en un bocadillo y una fruta o yogur.

Entre las 9 y 9.30 cenamos; es un poco tarde, pero los españoles solemos acostarnos más tarde que la mayoría de los europeos. La cena es un plato caliente de verduras, pescado o carne, pero un poco más ligero que el almuerzo. Después, un vaso de leche y a la cama.

Unidad 5. Segunda parte

Pista 34. Haciendo la compra
Diálogo 1

▲Hola, buenas tardes, ¿qué quería?

■Hoy es el cumpleaños de mi hija y estoy buscando una tarta.

▲La especialidad de la casa es la tarta de manzana.

■Y... ¿cuánto cuesta?

▲Son 15 euros.

■¡Uy! Me parece un poco cara. ¿No tiene otra más barata?

▲Sí, esta tarta de chocolate cuesta 9 euros.

■Póngame esta, por favor.

▲¿Necesita velas?

■No, ya las he comprado.

▲Entonces... son 9 euros.

■Aquí tiene.

▲Gracias y buenas tardes.

■Adiós.

Diálogo 2

▲Hola, ¿qué desea?

■Quería peras. ¿Están maduras?

▲Sí, las peras están en su punto.

■Póngame un kilo y medio, por favor. ¿Tiene uvas?

▲No, uvas ya no me quedan.

■Déme, entonces, un kilo de manzanas.

▲¿Algo más?

■No, eso es todo. ¿Cuánto es?

▲A ver..., son 4 euros, por favor.

■Aquí tiene y muchas gracias.

▲Hasta luego.

■Hasta luego.

Diálogo 3

▲Hola, buenos días, ¿en qué puedo ayudarle?

■Hola, quería chuletas de ternera. ¿A cómo está el kilo?

▲Las chuletas de ternera están muy tiernas, están a 9 euros el kilo. ¿Cuántas le pongo?

■Póngame un kilo, por favor.

▲¿Desea algo más?

■Sí, me gustaría también un poco de fiambre. ¿Qué tiene de oferta esta semana?

▲Esta semana tengo un chorizo buenísimo a 10 euros el kilo.

■Póngame 250 gramos, por favor.

▲Aquí tiene. ¿Eso es todo?

■Sí, ¿cuánto es?

▲Son 11 euros con 50 céntimos.

■Aquí tiene. Hasta luego.

▲Hasta luego.

UNIDAD 6. Primera parte

Pista 35. Sara no se encuentra bien

Sara: ¿Sí? ¿Quién es?

Laura: Somos Laura y Martín.

Sara: ¡Ah! Subid, subid.

Martín: Hola, Sara; como hemos visto que no has venido hoy a clase, hemos decidido pasar a visitarte para ver si estás bien.

Sara: Bueno, la verdad es que me encuentro fatal.

Laura: Pero... ¿qué te pasa? Ayer estabas perfectamente.

Sara: Sí, es cierto, pero esta mañana me he levantado con un dolor de cabeza horrible y no he parado de vomitar.

Martín: Seguro que algo te ha sentado mal. ¿Qué cenaste anoche?

Sara: Pues... pescado con patatas y un poco de mayonesa, nada especial.

Laura: ¿Miraste la fecha de caducidad de la mayonesa?

Sara: No, no pensé que pudiese estar mala.

Laura: Estoy segura de que es la mayonesa lo que te ha sentado mal. Pero... ¿cómo te encuentras ahora?

Sara: Pues... peor que esta mañana; creo que tengo fiebre y el dolor de cabeza no se me pasa.

Martín: A lo mejor deberías ir al médico; yo creo que tienes una intoxicación.

Sara: Voy a esperar hasta mañana; si mañana por la mañana no he mejorado, concertaré una cita con el médico.

Laura: Me parece buena idea. Bueno, ahora te dejamos descansar; si necesitas algo, no dudes en llamarnos, ¿vale?

Sara: Lo haré, pero seguro que mañana ya estoy bien.

Martín: ¡Que te mejores!

Sara: Gracias por la visita chicos y... ¡hasta mañana!

Audición A2. Sara sigue enferma

Sara: ¿Sí?

Martín: Hola, Sara, somos nosotros.

Laura: Hola, ¿qué tal estás hoy?

Sara: La verdad es que no me encuentro mucho mejor.

Martín: Pero... ¿has ido al médico?

Sara: Sí, he ido esta mañana temprano, porque no he parado de vomitar en toda la noche y, además, me ha subido la fiebre.

Martín: ¿Y qué te ha dicho?

Sara: Que probablemente se trate de una intoxicación por culpa de la mayonesa, que estaba en mal estado.

Martín: ¡Te lo dije!

Laura: ¿Te ha recetado algo?

Sara: Me ha dado unas pastillas y me ha dicho que repose, que beba mucha agua y que por un par de días solo coma arroz cocido.

Laura: Bueno, haz lo que te ha dicho el médico y en pocos días estarás como nueva.

Sara: Lo haré, gracias por haber venido.

Martín: Adiós, y cuídate mucho.

Sara: Chao.

Pista 37. Visita del médico

Enfermera: ¿Sara Martínez?

Sara: Sí, soy yo.

Enfermera: Ya puedes pasar, el médico te está esperando.

(En la consulta.)

Médico: Siéntate, por favor.

Sara: Gracias.

Médico: Cuéntame. ¿Qué te pasa?

Sara: Pues desde ayer me encuentro bastante mal.

Médico: ¿Qué síntomas tienes?

Sara: Me duele muchísimo la cabeza y no he parado de vomitar en toda la noche.

Médico: ¿Tienes fiebre?

Sara: En estos momentos no lo sé, pero ayer tenía unas décimas.

Médico: Vamos a ver... te pondré el termómetro y salimos de dudas. ¡Pues sí! Tienes algo de fiebre. ¿Qué comiste anoche?

Sara: Pescado con patatas y mayonesa. La mayonesa estaba caducada, me he dado cuenta después.

Médico: Me temo que tienes es una intoxicación.

Sara: ¿Y eso es muy grave?

Médico: No, no te preocupes, las intoxicaciones son bastante normales, sobre todo en esta época del año.

Sara: Doctor, ¿debo seguir algún tratamiento durante estos días?

Médico: Sí, te voy a recetar unas pastillas; tómate una después de cada comida; además, bebe mucha agua y durante estos días come solamente arroz cocido sin ningún tipo de salsa.

Sara: ¿Durante cuántos días tengo que tomar las pastillas?

Médico: El tratamiento es de una semana. Si después de esa semana no te encuentras mejor, vuelve a visitarme y haremos un reconocimiento más profundo.

Sara: Muchas gracias y buenos días.

Médico: Buenos días.

Pista 38. Hábitos saludables

Sara: ¡Hola, chicos! ¿Qué tal?

Martín: ¡Vaya! Parece que ya estás mucho mejor.

Sara: Sí, creo que ya estoy totalmente recuperada.

Laura: Creo que deberías vigilar más lo que comes.

Sara: Tienes razón, Laura, pero... ¿Qué haces tú para estar sana?

Laura: La verdad es que me cuido bastante: no fumo ni bebo alcohol, suelo acostarme temprano y llevo una dieta variada a base de muchas frutas y verduras.

Sara: Y tú, Martín, ¿haces algo para estar más sano?

Martín: Bueno, no mucho, la verdad, aunque hago mucho deporte y tampoco fumo.

Sara: Creo que soy la más despreocupada de los tres; suelo acostarme tarde, fumo bastante y no llevo una dieta equilibrada, aunque algunas veces voy a nadar a la piscina. Pienso que debería empezar a cuidarme.

Laura: Sí, es importante estar en forma.

Pista 39. ¡Ay, cómo me duele!

1. Me encuentro fatal; me duele todo el cuerpo y, además, tengo muchísima tos y mocos. Respiro con dificultad y lo único que quiero es estar en cama.

2. Estoy completamente mareado, todo me da vueltas y tengo el estómago muy revuelto. Siempre me ocurre cuando voy en coche y, a veces, incluso vomito.

3. He pasado una noche horrible; tengo una muela picada y el dolor es tan intenso que no he podido pegar ojo en toda la noche. He llamado al dentista y me ha dado cita para las tres; supongo que me empastará la muela y hoy podré dormir tranquilamente.

4. Desde esta mañana tengo escalofríos, mi frente está muy caliente y me siento muy débil. Me he puesto el termómetro y se ha confirmado lo que sospechaba: tengo fiebre; creo que voy a meterme en la cama ahora mismo.

5. Esta mañana me he levantado con unos granitos rojos por todo mi cuerpo; además, me he tomado la temperatura y he comprobado que tengo unas décimas; creo que se trata del sarampión, pero iré al médico por la tarde.

Pista 40. Consejos médicos

1. Le aconsejo que beba mucha agua y guarde cama durante, al menos, dos días. Si tiene que salir, abríguese bien. Tómese el jarabe y los antibióticos que le he recetado y si en una semana no se encuentra mejor, llámeme.

2. Siga una dieta rigurosa a base de productos cocidos y té; beba mucha agua y no ingiera ningún otro tipo de alimentos; guarde reposo.

3. Desinfecte la zona muy bien, utilizando alcohol o yodo. Procure cambiar la venda cada dos días. Dentro de una semana vuelva a visitarme y le quitaré los puntos.

Pista 41. De mayor quiero ser...

Martín: Este fin de semana he visto un anuncio en el periódico en el que buscan redactores para una nueva revista juvenil y he pensado que quizás debería solicitar el puesto.

Sara: ¿Te gustaría ser redactor de una revista para adolescentes?

Martín: La verdad es que no me parece un mal trabajo para empezar.

Laura: Pero... ¿te interesa el mundo de los jóvenes?

Martín: No en especial, pero cuando termine la carrera me encantaría escribir para un periódico nacional importante.

Sara: ¿Y crees que trabajar en una revista para adolescentes te ayudará a alcanzar tu sueño?

Martín: Pienso que cualquier tipo de experiencia en el campo del periodismo escrito puede ayudarme. Y a ti, Sara, ¿qué te gustaría hacer cuando termines la carrera?

Sara: Yo sueño con ser corresponsal, trabajar para una cadena de televisión importante y poder dar noticias desde los lugares más remotos de la Tierra.

Laura: ¿No te parece un poco peligroso?

Sara: Quizá los corresponsales de guerra puedan correr peligros, pero... ¡a mí me gusta el riesgo!

Laura: El trabajo de corresponsal no es nada para mí; yo adoro la radio y me encantaría llegar a ser locutora de una emisora importante.

Martín: ¿Y qué tipo de programa te gustaría presentar?

Laura: Bueno..., estoy bastante abierta a distintas posibilidades, pero tengo preferencia por los programas de actualidad social.

Sara: ¿Prensa del corazón?

Laura: ¡No, no! Me gustaría informar acerca de los eventos culturales del panorama actual.

Martín: ¡La verdad, creo que llegaremos a ser tres periodistas muy distintos!

Pista 42. Elaboración de un currículo

Martín: He decidido solicitar el puesto de redactor que ofrecen en el periódico; ¿me ayudáis a redactar el currículo?

Sara: No me gusta nada hacer este tipo de cosas pero... ¡vale! Te echaré una mano.

Laura: Yo también ayudaré en lo que pueda.

Martín: Para empezar, los datos personales...

Sara: ¡Bien! ¿Nombre y apellidos?

Martín: Martín Valderrama González

Sara: ¿Fecha de nacimiento?

Martín: 2 de febrero del 83.

Sara: ¿Dirección?

Martín: Calle Sol Oriente, número 12, piso 2º A; código postal 36002, Salamanca.

Sara: ¿Teléfono?

Martín: 689 546 871.

Sara: ¿Dirección de correo electrónico?

Martín: Martínvalderrama@yahoo.es.

Laura: Ahora, los estudios...

Martín: De 1986 a 1997 completé la educación primaria en el Colegio Público "Bolívar y Garibaldi", en Caracas.

Laura: ¿Y después?

Martín: A continuación, y hasta el año 2001, estudié mi bachillerato en un colegio privado; se llamaba "La Paz" y también estaba en Caracas. En el 2002 llegué a España y en el 2004 empecé la carrera de Periodismo, ahora estoy en mi segundo año.

Sara: Vale, ahora la experiencia profesional... ¿En qué has trabajado?

Martín: Desde enero hasta septiembre del 2002 trabajé como redactor para un periódico local, *24 horas*; era el responsable de las noticias de actualidad.

Sara: ¿Has hecho algo más?

Martín: Sí; desde octubre del 2002 trabajé durante cuatro meses para la revista cultural *El cangrejo naranja*. Todas las semanas escribía una reseña sobre una película.

Sara: ¿Y desde entonces has tenido algún otro trabajo?

Martín: Bueno..., he escrito varios artículos para revistas y periódicos, pero todo como *freelance*.

Laura: Creo que tenemos suficiente para empezar a redactar el currículo. ¡Manos a la obra!

Pista 43. Una entrevista de trabajo

Entrevistador: Hola, buenos días, siéntese por favor. Usted debe de ser Martín Valderrama.

Martín: Así es.

Entrevistador: Le hemos llamado porque nos gustaría hacerle algunas preguntas con el objetivo de saber un poco más de usted. ¿Por qué ha solicitado este empleo?

Martín: Soy estudiante de Periodismo y estoy muy interesado en la prensa escrita; trabajar para ustedes me permitiría explorar nuevos campos temáticos.

Entrevistador: ¿Por qué ha escogido la carrera de Periodismo?

Martín: Me encanta escribir y adoro la actualidad; la suma de estas dos pasiones es el periodismo.

Entrevistador: ¿Le gusta el trabajo en equipo o prefiere trabajar de forma independiente?

Martín: Me encuentro muy cómodo dentro de un equipo, aunque debo admitir que soy muy perfeccionista y, a veces, exijo demasiado a mis compañeros.

Entrevistador: Mi última pregunta es... ¿cuántos días estaría dispuesto a trabajar?

Martín: Debido a mis estudios, me gustaría trabajar a tiempo parcial; el horario podríamos discutirlo, si fuese oportuno.

Entrevistador: Perfecto, ha sido un placer. Muchas gracias por su tiempo; ya lo llamaremos.

Martín: Muchas gracias y buenos días.

Pista 44. El trabajo es suyo

Director: ¡Enhorabuena, señor Valderrama! El trabajo es para usted.

Martín: Muchas gracias por la confianza depositada, le aseguro que no se arrepentirán.

Director: Bueno, ahora quería hablarle de las condiciones del contrato, aunque ya ha sido informado en líneas generales antes de la entrevista.

Martín: Así es.

Director: Le ofrecemos un contrato temporal de un año; se trata de un trabajo a tiempo parcial de 16 horas a la semana. El sueldo le será ingresado en su cuenta mensualmente.

Martín: ¿A cuánto asciende el salario?

Director: Como hemos acordado, usted recibirá mensualmente 1095 euros netos.

Martín: Muy bien.

Director: El primer mes será de prueba y adaptación; a partir del segundo podrá empezar a trabajar con normalidad. ¿Todo en orden?

Martín: Sí, todo arreglado.

Director: ¿Tiene usted alguna pregunta?

Martín: Sí, me gustaría saber cuándo empiezo.

Director: Deberá incorporarse a la plantilla el día uno del mes próximo; ¿algún problema?

Martín: En absoluto.

Director: Pues hasta entonces y buenos días.

Martín: Muchas gracias y buenos días.

Unidad 7. Segunda parte

Pista 45. Deseos profesionales

María. Hola, me llamo María y tengo 25 años. Soy licenciada en Económicas y Empresariales, el año pasado hice un máster en Economía Internacional y he estado trabajando durante seis meses en un banco. Me gustaría cambiar de trabajo y hacer algo relacionado con comercio internacional.

Ana. Hola, soy Ana y tengo 46 años. Soy licenciada en Historia del Arte por la universidad de Granada y he estado trabajando como conservadora en el museo Reina Sofía de Madrid durante los últimos diez años. Este trabajo es un poco estresante y ahora quiero un trabajo a tiempo parcial en una pequeña galería, que me permita disfrutar un poco de mi afición por la pintura contemporánea.

Santiago. Hola, me llamo Santiago y tengo 30 años. He estudiado Informática en un instituto de Formación Profesional de Madrid. Durante seis años he estado trabajando como programador para una gran empresa de ordenadores; ahora sueño con tener mi propio negocio de informática o bien trabajar para una pequeña tienda.

UNIDAD 8. Primera parte

Pista 46. Actividades deportivas

Laura: La verdad es que de tanto estudiar estoy descuidando mi forma física y creo que en los últimos meses he engordado un par de kilos.

Martín: ¿Por qué no te apuntas a un gimnasio?

Laura: No me gustan los deportes individuales; hacer bicicleta estática o aeróbic me parece bastante aburrido.

Sara: Pero... en un gimnasio también puedes practicar otro tipo de deportes, como fútbol, tenis, balonmano, baloncesto...

Laura: ¡Ah! Eso me parece buena idea; pensaba que en un gimnasio no se podían practicar deportes en equipo.

Martín: No en todos, pero en algunos sí. ¿Qué deporte te gustaría practicar?

Laura: Bueno, la verdad es que me gustan muchos, pero creo que empezaría a practicar tenis; me gusta mucho ver los partidos en la televisión.

Martín: A mí el tenis me parece aburridísimo, los partidos pueden durar horas y las reglas son bastante complicadas.

Laura: Entonces, ¿qué deporte te gusta a ti?

Martín: A mí me encanta el fútbol; desde que llegué a España juego en el equipo de mi barrio y, cada fin de semana, jugamos un partido contra otro barrio.

Sara: ¿Es una especie de liga?

Martín: Sí, no es nada serio pero me divierto mucho. Sara, ¿tú practicas algún deporte?

Sara: Bueno, tengo que decir que odio los deportes, pero desde hace un año practico la natación; tengo bastantes problemas de espalda y el médico me lo ha recomendado.

Laura: ¿Cuántas veces a la semana vas a nadar?

Sara: Nado unas dos o tres veces por semana. Y... bueno, ahora me gusta bastante.

Laura: Quizás tengáis razón y me apunte a un gimnasio.

Pista 47. Reglas del tenis

Entrenador: Bienvenida, Laura, ¿has jugado alguna vez al tenis?

Laura: No, nunca; he visto un par de partidos en la televisión, pero nunca lo he practicado.

Entrenador: Bueno, pues antes de empezar te voy a explicar las reglas básicas del juego, ¿te parece?

Laura: Perfecto.

Entrenador: Un partido de tenis tiene normalmente tres sets. Y cada set tiene seis juegos.

Laura: ¿Cuántos puntos consigue el tenista por cada tanto que gana?

Entrenador: Bueno, realmente cada juego sólo tiene cuatro tantos, aunque se puntúan de una forma rara: 15, 30, 40 y juego.

Laura: ¿Qué ocurre si quedan empatados?

Entrenador: Si empatan, esa situación se llama "iguales"; para desempatar y ganar el juego, el jugador debe tener una ventaja de dos tantos.

Laura: ¿Y quién gana?

Entrenador: Gana el set el primer jugador que obtenga seis juegos. Gana el partido el jugador o equipo que obtenga dos o tres sets, según que se juegue al mejor de tres sets o al mejor de cinco.

Laura: ¿Qué es lo más importante en el tenis?

Entrenador: Bueno, una de las cosas más decisivas es el "servicio". El jugador saca y la pelota tiene que llegar al otro lado del campo sin tocar la red y dentro del cuadro de campo.

Laura: ¿Y no hay descansos?

Entrenador: Sí, entre set y set los jugadores descansan dos minutos; también se hacen otros descansos más cortos, cuando los jugadores cambian de lado en la pista. Un partido de tenis puede ser muy largo.

Laura: ¡Bien! Creo que ya estoy lista para mi primer partido, ahora solo necesito aprender a jugar.

Entrenador: ¡Eso es pan comido!

Pista 48. Grandes acontecimientos deportivos

Martín: Sara, a ti no te gusta practicar deportes, pero... ¿te gusta verlos?

Sara: Bueno, eso depende. Por ejemplo, me encanta ver los Juegos Olímpicos, disfruto mucho con algunas pruebas.

Martín: ¿Y a ti, Laura, te gusta ver deportes?

Laura: A mí me encantan los grandes campeonatos de tenis, como el "Roland Garros" o "Wimbledon"; me parecen muy emocionantes.

Sara: Ya sabemos que a ti te apasionan los deportes, pero ¿qué competiciones son las que más disfrutas?

Martín: Bueno, me apasiona la vuelta a España y, ¡claro, la liga de fútbol!

Sara: A mí la única competición de fútbol que me gusta son los "Mundiales".

Martín: ¡Pues no lo entiendo! No te gusta el fútbol y, sin embargo, te gustan los mundiales.

Sara: Sí, la competitividad es distinta, y ya me cansa que todos los domingos lo único que haya en la tele sea fútbol.

Laura: ¡Es cierto! Existen otros deportes, y hay muchos deportistas buenos en este país, y no todos son de fútbol.

Martín: Vale, vale, dos contra uno; me rindo.

Pista 49. El dopaje

Todo el mundo sabe que el dopaje es una de las caras más negativas del deporte pero... ¿qué es el dopaje con exactitud?

El dopaje es el consumo de sustancias que aumentan el rendimiento del deportista. El consumo de dichas sustancias es ilegal y está penalizado. Mucha gente piensa que el dopaje es un fenómeno reciente, pero no es así. El consumo de sustancias ilegales para mejorar marcas es tan antiguo como el deporte; ya los atletas griegos en sus famosas olimpiadas las consumían para ganar las competiciones. Según un estudio realizado recientemente, una de las principales causas del dopaje es la presión mediática a la que están sometidos muchos profesionales del deporte. Los resultados tienen que ser cada vez mejores. cueste lo que cueste. A pesar de todo esto, el deporte debe ser ético; si se practica de forma correcta, enseña a la sociedad valores muy importantes, como saber divertirse sanamente, responsabilidad, trabajo en equipo, respeto al adversario, juego limpio, entre otros. Además, en la actualidad el deporte tiene una gran influencia en los jóvenes; por eso es fundamental que represente valores positivos.

Unidad 8. Segunda parte

Pista 50. ¿Y tú, qué deporte practicas?

Javier. Hola, me llamo Javier y tengo 16 años. Desde hace cuatro practico atletismo. Siempre me ha gustado correr, pero empecé a practicarlo en serio porque mi profesor de gimnasia del colegio me lo recomendó; decía que tenía posibilidades de llegar a ser un corredor profesional. Después de cuatro años de duro entrenamiento, formo parte de la Federación Nacional de Atletismo; entreno entre cuatro y cinco horas, tres días a la semana, y mi especialidad son los 100 metros lisos.

Daniela. Hola, yo soy Daniela y tengo 18 años. Desde que tenía 16 años soy nadadora profesional. Mi pasión por la natación empezó cuando, desde muy pequeña, veía las grandes competiciones deportivas con mi padre; él es un gran apasionado de este deporte. Seguí clases de natación desde muy joven y desde siempre he participado en campeonatos, tanto regionales como nacionales. Suelo ir a la piscina unas cuatro veces por semana y nado entre tres y cuatro horas. Mi especialidad son los 200 metros espalda.

Flor. Me llamo Flor y tengo 20 años. Soy una chica que mide 1,90 y, por eso, desde pequeña, todo el mundo creía que sería una jugadora fantástica de baloncesto. Tanto insistió la gente que comencé a practicar este deporte hace cinco años. Formo parte del equipo nacional de baloncesto y viajo mucho, porque tenemos campeonatos en todo el mundo. Me gusta mucho y suelo entrenar tres días a la semana durante unas cuatro horas. Dentro del equipo juego como pívot.

Pista 51. ¿Cómo se juega?

1. Este deporte se juega con un balón y en él se enfrentan dos equipos. Cada equipo tiene un portero, que debe evitar que el equipo contrario le meta un gol. Los jugadores deben meter más goles que los del equipo contrario para ganar el partido. Este juego dura 90 minutos, divididos en dos partes de 45, con un descanso de 15.

2. Este deporte lo juegan personas bastante altas, porque su objetivo es encestar el balón en una canasta que está a unos tres metros de altura. El partido dura 40 minutos, divididos en cuatro partes de 10 minutos cada una.

Pista 52. Mascotas y símbolos deportivos

1. Hola! Soy Naranjito, y he sido la mascota oficial del mundial de fútbol del año 1982. Este mundial se celebró en España y la final enfrentó a dos equipos muy importantes: Italia y Alemania Federal. El ganador fue Italia, con un resultado de 3-1.

2. Soy el símbolo del deporte por excelencia; estoy formado por cinco aros de diferentes colores sobre un fondo blanco, que representan los continentes de la Tierra. Me verás en los Juegos Olímpicos que se celebran regularmente cada cuatro años.

3. Me llamo Cobi y he sido la mascota de los Juegos Olímpicos de Barcelona 92. Mi creador es un conocido dibujante catalán, que se llama Javier Mariscal. Uno de

los grandes triunfadores españoles de estos juegos fue Martín López Zubero, ganador de la primera medalla de oro de la historia de la natación española.

REPASO Y EVALUACIÓN. Bloque 2

Pista 53. De compras para la cena

Dedendienta: Hola, buenos días, Lorena, ¿qué te pongo?
Lorena: Pues..., no sé, hoy tengo invitados para cenar y... todavía no tengo ni idea de lo que voy a preparar. ¿Qué tienes de oferta esta semana?
Dedendienta: Tengo unos pimientos riquísimos, me acaban de llegar y están muy frescos.
Lorena: ¡Vale! Ponme medio kilo de pimientos y... ¿a cómo están las patatas?
Dedendienta: A 1,50 euros el kilo; ¿cuántas te pongo?
Lorena: Dame dos kilos, creo que voy a preparar una tortilla. ¿Qué tal están las cebollas?
Dedendienta: Muy tiernas... ¡Son de León!
Lorena: Pues... ponme cuatro cebollas. ¿Tienes huevos frescos?
Dedendienta: Sí, están fresquísimos.
Lorena: ¿A cómo son?
Dedendienta: Están a tres euros la docena.
Lorena: ¡Uy! ¡Qué caros! En ese caso, no me des una, dame media docena.
Dedendienta: ¿Algo más?
Lorena: ¡Ah! ¡Sí! Casi se me olvida, dame una botella de aceite de girasol.
Dedendienta: ¿Eso es todo?
Lorena: Sí, eso es todo. ¿Cuánto es?
Dedendienta: A ver... Los pimientos, 1 euro; las patatas, 3 euros; las cebollas, 90 céntimos; los huevos, 1,50 euros, y la botella de aceite, 1,15. En total son 7,55 euros.
Lorena: Aquí tienes.
Dedendienta: Muchas gracias y... ¡hasta la próxima!

Pista 54. Cenando en casa de Lorena

Álex: Todo está delicioso, Lorena, y la tortilla está muy jugosa... ¿Cómo la has hecho?
Lorena: Álex, como se nota que no eres español, todo el mundo en España sabe preparar una tortilla de patatas. Es muy simple, mira. Primero pela las patatas, unas seis más o menos, córtalas y fríelas en una sartén con bastante aceite hasta que estén doraditas. Después añade el pimiento y la cebolla picaditos; deja que todo se haga durante unos minutos y, mientras tanto, bate media docena de huevos, echa los huevos batidos en la sartén y espera durante unos minutos a que se pase. ¡No le des la vuelta antes de tiempo!, puede caérsete toda la tortilla al suelo. Y... ¡lista para servir!
Álex: Parece bastante fácil, pero seguro que no lo es.
Carmen: A mí lo que más me ha gustado ha sido la tarta de chocolate que has preparado de postre; es muy dulce, pero tiene un toque amargo que me gusta mucho.
Lorena: Sí, el toque amargo se lo dan las naranjas...
Álex: ¿De dónde es el vino? Tiene un sabor afrutado que me encanta.
Lorena: Es "Albariño", uno de mis vinos favoritos; viene de las costas gallegas.
Carmen: Brindemos, por nosotros y muchas otras cenas como esta.
Todos: ¡Salud!

Pista 55. Inés se encuentra mal

Enfermera: ¿Inés Blanco?

Inés: Sí, soy yo.

Enfermera: Puede pasar, el médico la está esperando.

Médico: Buenos días. Dígame, señora Blanco, ¿qué le ocurre?

Inés: Bueno, he estado tosiendo toda la noche y no he podido pegar ojo; además, me he levantado con un dolor de cabeza terrible y un enorme cansancio.

Médico: Bien, me temo que se trata de un resfriado, pero... vamos a echar un vistazo a esa garganta. Abra la boca, por favor.

Médico: Lo que pensaba, tiene usted la garganta muy irritada. ¿Le duele al tragar?

Inés: Sí, me cuesta mucho ingerir alimentos sólidos.

Médico: Déjeme que la ausculte. Pues sí, se trata de un resfriado común, pero si no se cuida puede convertirse en una gripe.

Inés: ¿Y qué me aconseja?

Médico: Bueno, para empezar, debe tomarse este jarabe tres veces al día después de cada comida; métase en la cama y procure relajarse y protegerse de las corrientes de aire; beba mucha agua y, sobre todo, descanse. Si sigue mis instrucciones, en tres o cuatro días estará usted recuperada.

Inés: Muchas gracias, doctor.

Médico: De nada y... ¡a mejorarse!

Pista 56. Tres profesiones diferentes

Fran. Hola, me llamo Fran y tengo 28 años. Desde hace tres trabajo como programador informático para la compañía IBM. Siempre me ha interesado el mundo de la informática y, desde que era pequeño, soñaba con tener un ordenador. Cuando terminé la Enseñanza Secundaria Obligatoria, empecé un ciclo de programación en una escuela de Formación Profesional; después de este primer curso me enganché, aún más, a la informática y completé mi formación con otro ciclo, con el que me especialicé en la creación de nuevos programas.

Susana. Hola, yo soy Susana y tengo 47 años. Desde hace 15 trabajo como profesora de español para extranjeros en la Escuela Oficial de Idiomas de Alcalá. He estudiado Filología Hispánica, puesto que siempre me he sentido atraída por la gramática y la literatura española. Durante ocho años estuve dando clase de Lengua y Literatura españolas en un instituto; después de esa experiencia, decidí especializarme en la enseñanza del español como lengua extrajera y, después de seguir dos cursos intensivos, organizados por el Instituto Cervantes, empecé a trabajar en la Escuela Oficial de Idiomas.

Antonia. Hola, me llamo Antonia y tengo 34 años. Desde hace nueve trabajo como ingeniera en un instituto de tecnología en Berlín. En mi trabajo lo que hago es diseñar modelos, que serán futuros motores de automóviles y todo tipo de electrodomésticos. Estudié mi carrera de Ingeniería Industrial en Madrid y fui a hacer mis prácticas a la capital alemana. Siempre he sentido interés por saber cómo funcionan las cosas y, ahora como ingeniera, lo he descubierto. Antes de mi trabajo actual, trabajé en diversos laboratorios de robótica, pero lo dejé porque era demasiado estresante.

Pista 57. El problema de Nati

Nati: Estas navidades he engordado tres kilos y no sé qué hacer para perderlos...

Lucía: Yo he estado haciendo aeróbic y, en los últimos dos meses he perdido dos kilos; además, no he dejado de comer y he reforzado la musculatura, me siento mucho mejor físicamente.

Nati: A mí el aeróbic no me gusta; me parece demasiado aburrido y, además, no tengo ningún sentido del ritmo.

Lucía: ¿Qué deporte te gustaría practicar entonces?

Nati: Creo que prefiero un deporte en equipo, me encanta la competitividad.

Lucía: ¿Has practicado algún deporte en equipo antes?

Nati: Sí, en el instituto fui la capitana del equipo de baloncesto, ganamos la liguilla durante cuatro años consecutivos. ¡Éramos muy buenas!

Lucía: ¡Vaya! No lo sabía... ¿Por qué no te inscribes en un equipo?

Nati: Sí, la verdad es que me gustaría mucho... ¿Sabes si hay algún centro deportivo en el que haya un equipo de baloncesto?

Lucía: Sí, en mi barrio hay una asociación deportiva que tiene un pequeño equipo de baloncesto femenino. ¿Por qué no te pasas un día por allí y preguntas?

Nati: Sí, lo haré; gracias por el consejo.

Bloque 3

UNIDAD 9. Primera parte

Pista 58. ¿Qué tipo de música escuchas?

Laura: ¡Eh! ¡Sara! ¿Me oyes? Por favor, quítate los cascos.

Sara: Perdona, Laura, es que me he comprado el nuevo CD de Shakira y me gusta tanto, que no puedo parar de escucharlo una y otra vez.

Laura: ¡Tú siempre estás igual! ¡Tú y tu música!

Martín: ¡Hola, chicas! ¿Qué tal?

Laura: Bueno..., aquí, discutiendo sobre música. ¿Qué vienes escuchando tú?

Martín:: Es el nuevo disco de "Hombres G" y, la verdad es que es un poco flojo.

Laura: Pero... es que a ti no te gusta el pop, ¿verdad?

Martín: Bueno, normalmente escucho jazz, blues y un poquito de soul, pero últimamente me estoy interesando por el pop.

Sara: Siempre te he dicho que la música pop es la mejor, pero tú nunca me has hecho caso.

Martín: Creo que dentro de la música pop hay muchos grupos malos y algunos buenos, es una música de masas. A ti, Laura, ¿qué tipo de música te gusta?

Laura: A mí me gusta escuchar algo de todo, pero tengo que confesar que siento predilección por la música clásica; mi padre era director de la Orquesta Sinfónica de Buenos Aires y en mi casa siempre hemos escuchado este tipo de música.

Sara: ¿No te parece demasiado aburrida?

Laura: Existe muchísima variedad dentro de la música clásica, y creo que la gente nunca se ha tomado el tiempo suficiente para escucharla con calma. Te prestaré un par de CDs y entenderás de lo que estoy hablando.

Laura: Vale, vale...

Pista 59. Revistas musicales

Martín: ¿Qué estás leyendo?

Sara: El último número de la revista *Súper Pop*; trae una entrevista muy interesante al "Canto del Loco".

Martín: ¿Tú lees eso? A mí me parece que esa revista no trata sobre música, sino sobre chicos guapos que no tienen ni idea de cómo tocar un instrumento.

Sara: Pues a mí me gusta. ¿Qué revista musical lees tú?

Martín: A mí me gusta mucho *Mondo Sonoro*; siempre tiene reportajes interesantes sobre nuevos grupos y tratan temas como conciertos, giras, nuevos estilos musicales...

Sara: Para mí esas revistas son demasiado técnicas y, a veces, muy complicadas. Cuando leo una revista musical me gusta relajarme y enterarme de los nuevos grupos y canciones.

Martín: ¿Qué secciones tiene la revista *Súper Pop*?

Sara: Muchísimas y muy variadas; por ejemplo: entrevistas a los artistas del momento, moda, test psicológicos, horóscopo y posters de chicos guapísimos.

Martín: Pues... vaya revista musical. *Mondo Sonoro* tiene secciones mucho más interesantes, como entrevistas a grupos importantes, agenda de conciertos y actividades musicales, cine y... mucho más. Si quieres, un día te la presto y le echas un vistazo.

Sara: ¡Vale! Me gustaría mucho.

Pista 60. ¿Te vienes a un concierto?

Martín: El otro día, escuchando Radio 3, entré en un sorteo de tres entradas para el concierto de Sabina y... ¡adivinad! ¡Me han tocado!

Sara: ¡Jo! ¡Qué suerte! ¿Ya tienes acompañantes?

Martín: No, todavía no. ¿Queréis venir conmigo?

Laura: A mí me encantaría, me gusta mucho Joaquín Sabina, lo sigo desde que era muy joven.

Sara: La verdad es que no me gustan mucho sus últimos trabajos, su música ha perdido parte de la poesía urbana de los años 80.

Martín: Sara, su estilo ha evolucionado y los temas de las canciones han cambiado, pero a mí me sigue gustando muchísimo. Pero... ¿te vienes o no?

Sara: Sí, ¡claro! A pesar de no entusiasmarme sus últimos discos, me encantaría escuchar sus grandes clásicos.

Laura: ¿Cuándo es el concierto?

Martín: El próximo viernes, a las 10, en el polideportivo.

Sara: Vale. ¿Cómo quedamos?

Martín: Si queréis, podemos quedar a las 9 en la entrada; no me gustaría estar en última fila.

Laura: Por mí... ¡perfecto!

Sara: Bien, entonces nos vemos el viernes a las 9 en la entrada del polideportivo. ¡Hasta entonces!

Pista 61. ¿Sabes qué es una jota?

Martín: Sara, tus padres no son salmantinos, ¿verdad?

Sara: No, mi madre es de Santiago de Compostela, y mi padre, de Vigo, dos de las ciudades más importantes de Galicia.

Laura: ¿Dónde está Galicia?

Sara: Galicia es una región en el noroeste de España, justo encima de Portugal.

Martín: Allí se habla otra lengua, ¿no?

Sara: Sí, es una región bilingüe, se habla gallego y castellano. Además, tiene un rico folclore tradicional.

Laura: ¿Cómo es ese folclore?

Sara: Bueno, está formado por distintos tipos de baile y músicas. Los bailes más conocidos son la "muñeira" y la "jota".

Martín: ¿Qué instrumentos musicales se usan en ese tipo de folclore?

Sara: Los instrumentos de la música tradicional gallega son la gaita, la pandereta, el tambor y el bombo.

Laura: ¿En qué ocasiones se pueden ver esos bailes y escuchar esa música?

Sara: En todas las fiestas patronales hay uno o varios grupos que son invitados como parte del programa. Cada verano, cuando iba de vacaciones con mi familia a Galicia, siempre disfrutaba de ese tipo de espectáculos.

Martín: ¿Todas las regiones tienen el mismo folclore?

Sara: No, claro que no, cada región tiene sus propios bailes e instrumentos tradicionales. En Cataluña, por ejemplo, se baila la "sardana"; en Andalucía es típico el "flamenco", y en Madrid, el "chotis".

Laura: ¡Qué interesante! Un día me gustaría poder verlo.

Unidad 9. Segunda parte

Pista 62. Gustos musicales

Francisco. Hola, me llamo Francisco y tengo 45 años. Cuando tenía 10 años, empecé a escuchar el rock de los años 70 y no he parado hasta hoy. Siempre me ha gustado la música experimental, y los años 70 son el comienzo de este fenómeno musical. Mis grupos favoritos son Pink Floyd y Alan Parsons Project. Tengo una gran colección de elepés y me gusta escuchar mi música en un viejo tocadiscos, que me regaló mi padre cuando cumplí los 18 años.

Sandra. Mi nombre es Sandra y tengo 24 años. Desde muy pequeña me he interesado por el pop en español. Me gusta entender la letra de las canciones y, como mi inglés no es muy bueno, prefiero escuchar canciones en español. Además, me encantan los ritmos latinos. Mis cantantes favoritos son Shakira, Juanes y Alejandro Sanz. Me gusta comprar cedés y escucho música a todas horas, desde que me levanto hasta que me acuesto. El año pasado, después de ahorrar bastante, me compré un equipo de música de alta fidelidad, que me permite disfrutar de todos mis cedés con una gran calidad de sonido.

Cristina. Soy Cristina y tengo 16 años. A mí lo que más me mola son los grupos de chicos; normalmente son muy guapos y, además, cantan bien. Siempre tienen canciones románticas que me hacen soñar. Mis grupos preferidos son "El Canto del Loco" y "Santa Justa Klan". Me gusta descargar música del ordenador y, ahora que mis padres me han comprado un MP3, escucho toda mi música en este aparatito. Además de ser pequeño y práctico, ¡es la última moda!

Fátima. Hola, yo soy Fátima y tengo 34 años. Soy violinista profesional y me encanta tocar y escuchar música clásica. Este tipo de música me ayuda a relajarme y, además, creo que es de una calidad muy superior a cualquier otro tipo de música. Mis compositores favoritos son Beethoven y Manuel de Falla. Tengo muchos cedés, elepés y casetes de música clásica, pero normalmente escucho Radio Clásica; me gusta conocer nuevas composiciones.

Pista 63. Instrumentos musicales

1. Maraca. Instrumento musical suramericano, que consiste en una calabaza con granos de maíz o chinas en su interior, para acompañar el canto. Actualmente se hace también de metal o materiales plásticos.

2. Trompeta. Instrumento musical de viento, consistente en un tubo largo de metal que va ensanchándose desde la boquilla al pabellón, y produce diversidad de sonidos, según la fuerza con que la boca expulsa el aire.

3. Violín. Instrumento musical de cuerda, el más pequeño y agudo entre los de su clase, que se compone de una caja de resonancia en forma de ocho, un mástil sin trastes y cuatro cuerdas que se hacen sonar con un arco.

Pista 64. Cantantes y grupos musicales

Extremoduro. Este famoso grupo de rock español, formado en 1987, se ha convertido, con el paso del tiempo, en punto de referencia del panorama musical de este país. Conocidos por canciones como: "Jesucristo García", "So payaso" o "El día de la bestia", actuarán el próximo 5 de julio en la Plaza de las Ventas, Madrid. El precio de las entradas es de 20 euros. ¡No te lo pierdas!

Joaquín Sabina. Este gran poeta y cantante español es una de las figuras más importantes del pop actual. Su voz ronca y sus letras mordaces lo han llevado a obtener varios premios musicales y el reconocimiento de los expertos, tanto a nivel nacional como internacional. Su próxima gira por España lleva por título "Gira Ultramarina" y en ella interpretará números de su último elepé, *Alivio de luto*, y canciones tan conocidas como: "Así estoy yo sin ti", "Princesa" o "Pongamos que hablo de Madrid".

No puedes perderte su próximo concierto en el Palacio de Deportes de Granada, el 9 de agosto. Las entradas tienen un precio de 25 euros.

Los del Río. Este dúo, originario del pueblo andaluz de Dos Hermanas, es uno de los grupos españoles más conocidos internacionalmente. Su música mezcla sonidos populares de flamenco con el pop. Su canción más conocida es "Macarena", que ha sido un éxito de ventas incluso en Estados Unidos, Japón y la India. Ahora tienes la oportunidad de verlos en directo en la Plaza de Toros de Murcia el próximo 27 de enero. El precio de las entradas es de 15 euros.

UNIDAD 10. Primera parte

Pista 65. Tipos de periódicos

Martín: ¿Qué estás leyendo, Sara?
Sara: Pues... mira, estoy leyendo el "Babelia" de esta semana.
Laura: ¿Qué es el "Babelia"?
Sara: Es el suplemento cultural del periódico *El País*.
Martín: Parece interesante y... ¿qué secciones tiene?
Sara: A mí la que más me gusta es la de teatro, porque siempre tiene críticas interesantes sobre las actuaciones del momento, pero tiene muchas otras, como música, noticias culturales, el libro de la semana, arte...
Laura: ¿Siempre lees *El País*?
Sara: Sí, es un periódico que me encanta; me parece bastante objetivo y no se centra únicamente en noticias políticas, sino que también da gran importancia a noticias de corte cultural. ¿Y tú? ¿Qué periódico lees normalmente?
Laura: Yo disfruto leyendo el *ABC*; me gusta la visión que tiene sobre la política española.
Sara: Odio ese periódico, tiene una ideología de derechas demasiado marcada; no me parece que sea un periódico que informa de manera objetiva.
Martín: A mí no me parece tan malo, pero el periódico que leo yo normalmente es *El Mundo*; estoy muy interesado en los temas de salud y este periódico tiene una sección muy interesante sobre este tema.

Pista 66. El español en China

Martín: ¿Sabéis que en China hay mucho interés por el español?
Sara: ¿En serio? ¿Por qué lo sabes?
Martín: Esta mañana he leído un artículo en el periódico, que hablaba de la inauguración del primer Instituto Cervantes en Pekín.
Laura: ¿Qué es el Instituto Cervantes?
Martín: Es una institución española que tiene como objetivo difundir la lengua y la cultura hispana en el resto del mundo.
Sara: ¿Cómo es la situación del español en un país tan diferente como China?
Martín: Según el artículo, la situación ha mejorado, pero todavía el español mantiene una posición muy atrasada con respecto a otros idiomas.
Laura: ¿En cuántos centros se imparte español?
Martín: Actualmente se enseña en 20 facultades, 6 escuelas secundarias y algunas academias privadas.
Sara: Eso no es mucho, ¿verdad?
Martín: No, el artículo dice que este año, por ejemplo, se quisieron matricular para estudiar español en la universidad de Pekín 400 estudiantes chinos, pero sólo aceptaron a 44.
Laura: Entonces... la demanda es mucho mayor que la oferta, ¿no es así?
Martín: Sí, por eso el Instituto Cervantes de Pekín es el más grande del organismo; tiene 3000 metros cuadrados y seis plantas, y se prevé la apertura de un nuevo centro en Shanghai el año próximo.
Sara: ¿Por qué se ha abierto ahora un instituto en Pekín?
Martín: En un principio las autoridades chinas se mostraron reticentes, pero el creciente interés de Pekín por Latinoamérica y la entrevista del presidente de España con el de China han dado el impulso definitivo.
Sara: Me alegro mucho de que el español se vaya abriendo camino en el extranjero, ¡incluso en China!

Pista 67. Una artista polifacética

Leonor Watling es uno de los personajes españoles más conocidos, tanto dentro como fuera de este país. Aunque su apellido, Watling, no sea español, porque lo ha tomado de su madre, que es inglesa, Leonor nació en Madrid el 28 de julio del año 1975. Leonor es una artista polifacética; además de ser actriz y cantante, es conocida por su facilidad para rodar películas en muy diversos idiomas. Por supuesto, ha hecho películas en español, como *Inconscientes* o *Malas temporadas*; habla muy bien inglés y eso queda demostrado en su película *Tirante el Blanco*, pero también se ha atrevido con idiomas menos conocidos, como el catalán. Aunque todas sus interpretaciones han sido excelentes, Leonor afirma que rodar en un idioma distinto al materno es una tarea difícil, porque no solo se trata de pronunciar bien, sino que también tiene que preocuparse de la interpretación de sonidos que muchas veces no entiende.

La otra cara de Leonor es la de cantante. "Marlango" es el nombre de su grupo de música, con el que está teniendo un gran éxito. En estos momentos está trabajando en su segundo disco *Automatic Imperfection*, y en agosto empezará con la grabación de su tercer trabajo.

Pista 68. ¿Por qué no cambias de canal?

Sara: Martín, ¿por qué no cambias de canal? Este concurso es un aburrimiento.

Martín: ¿No te gusta? A mí me encantan los concursos; son muy emocionantes y, además, puedes ganar muchos premios. *Pasa palabra* es uno de mis favoritos.

Sara: La verdad es que yo prefiero ver otro tipo de programas, como magazines de tarde.

Martín: ¿Qué es lo que te gusta de los magazines? No lo entiendo.

Sara: Son programas variados, que tienen algo de todo: prensa del corazón, concursos, tertulias, música... ¡Todo en uno!

Laura: ¿No os gustan más los programas de carácter informativo? A mí me encantan.

Martín: ¿Por ejemplo?

Laura: Por ejemplo telediarios, documentales, reportajes...

Sara: Bueno..., a mí me gustan los documentales sobre la naturaleza, pero tengo que reconocer que los telediarios me parecen sumamente aburridos.

Martín: A mí me gusta estar informado y, normalmente, suelo ver el telediario cada día, lo que no significa que sea un fanático de la información.

Laura: A mí me encantan los reportajes, por eso un programa como *Informe semanal* es uno de mis favoritos.

Martín: ¿A nadie le gustan las series o las telenovelas?

Sara: Sí, muchísimo, sobre todo las españolas; estoy enganchada a *Siete vidas* y *Aquí no hay quien viva*. ¿Las conocéis?

Martín: No, a mí no me gustan las series, tienen un humor demasiado fácil.

Laura: En Argentina tuve una temporada en la que era completamente adicta a las telenovelas; ahora ya se me ha pasado.

Unidad 10. Segunda parte

Pista 69. Cuatro noticias de prensa

Noticia 1. Su arquitectura rompe con el sobrio paisaje riojano, lleno de viñas. Cuando está a punto de comenzar la vendimia en esta comunidad autónoma, la bodega Herederos del Marqués de Riscal ha querido sumarse a la fiesta con la inauguración al público del hotel ideado por el conocido arquitecto del museo Guggenheim de Bilbao. Esta nueva y moderna instalación acoge 43 habitaciones y un balneario y combina la tradición del mundo del vino con la vanguardia.

Noticia 2. Es la página web más visitada de los Estados Unidos, con 106 millones de miembros. A finales de año se convertirá también en la primera amenaza seria para la tienda de música digital iTunes, al ofrecer a sus usuarios, entre ellos miles de bandas de música sin contrato discográfico, la posibilidad de vender sus canciones en formato MP3 y al precio que consideren apropiado en una tienda online que se llamará MyStore.com.

Noticia 3. El congreso ha reunido a especialistas de todo el mundo en Barcelona. Durante el evento, los participantes alabaron la nueva ley antitabaco como punto fundamental para evitar infartos. En el congreso se alertará sobre el aumento de patologías coronarias si no se combaten la obesidad y el sedentarismo. El 20% de los adultos españoles es obeso, el 40% tiene sobrepeso y el 60% es sedentario. Se abogó por fomentar el ejercicio físico.

Noticia 4. Bruce Springsteen está de nuevo en España. Apenas un año después de su paso por Madrid y Barcelona, el Boss se cita nuevamente con sus seguidores para ofrecerles su último trabajo, que representa un paso adelante en su toma de conciencia como ciudadano.

Pista 70. Tres programas de radio
Programa 1

Hola, muy buenas tardes a todos los oyentes y bienvenidos a nuestro programa. Todo el mundo conoce ya la buena noticia: España es campeona del mundo de baloncesto y parte de esta victoria se debe al excelente baloncestista Pau Gasol. Aunque no ha podido jugar la final contra Grecia, dice que se encuentra muy satisfecho con la victoria de su equipo. Como ustedes ya sabrán, Pau se lesionó en un pie durante el partido de semifinales contra Argentina y ha visto el encuentro desde el banquillo; afirma que el partido no fue fácil debido a la calidad de Grecia, que, debemos recordar, es el actual campeón de Europa, y que tiene un juego de equipo fantástico. Pau afirma que se encuentra mucho mejor y espera volver pronto a la cancha.

Programa 2

Locutor: Bienvenidos a nuestro programa. Espero que esta semana tengáis tiempo libre, porque en nuestra cartelera se aproximan unos estrenos fantásticos. No te desconectes, que este programa viene cargadito de noticias interesantes.

El primer estreno de la semana viene de la mano del director de cine español más conocido internacionalmente: Pedro Almodóvar y su nueva película: *Volver*. Este último trabajo ha sido presentado en el festival de Cannes y ha tenido una maravillosa acogida. Nuestra compañera María José Garrido se encuentra a la entrada del cine "Lumiere" en Madrid, donde esta noche tiene lugar el estreno de la película. Hola, buenas noches, María José.

María José: Hola, muy buenas noches desde los cines "Lumiere", aquí en Madrid, donde en estos momentos está teniendo lugar la entrada de los actores, que vienen acompañados de sus respectivas parejas. En estos momentos está haciendo su entrada el director de la película, Pedro Almodóvar, señoras y señores, Pedro Almodóvar, acompañado de amigos y actores.

Bueno, aquí en los cines "Lumiere" se ha concentrado una gran multitud de gente, ahora parecen entrar para ver la película. Conectaremos con el estudio al final de la misma y os contaremos qué tal ha ido el estreno de la que, parecer, va a ser la película española de este año.

Locutor: Muchas gracias, María José, contactaremos de nuevo contigo al final de esta edición. Y vosotros, si no queréis perderos lo que ocurrirá en el cine esta semana, no desconectéis, que volvemos después de estos anuncios.

Programa 3

Locutor: Hola, muy buenas tardes y bienvenidos todos. Hoy os traemos noticias muy, pero que muy jugosas; no os las perdáis.

Empezamos con el acontecimiento musical del año. Esta noche los Rolling Stones darán su único concierto en España, en el Palacio de los Deportes de Madrid. Las

15.000 entradas que se pusieron a la venta el pasado mes de septiembre están agotadas; los afortunados podrán escuchar a Mick Jagger y su banda, que interpretarán canciones de su último disco, pero que también recordarán sus grandes clásicos.

La famosa actriz española Penélope Cruz ha iniciado el rodaje de su nueva película estrenando nuevo amor. Los rumores dicen que se trata del galán de Hollywood Matthew McConaughey. Después de haber roto con Tom Cruise, Pe, que así es conocida la actriz en los Estados Unidos, parece haber encontrado la felicidad al lado del protagonista de películas como *Planes de boda* o *Sáhara*.

Para terminar, una noticia que pone de luto a toda España... La gran folclórica Rocío Jurado ha fallecido esta mañana a los 60 años de edad, a consecuencia de un cáncer de páncreas que le fue descubierto hace apenas un año. A pesar de los tratamientos seguidos en un prestigioso hospital de Houston, la enfermedad ha podido con la artista. El funeral será mañana miércoles en la catedral de La Almudena, en Madrid.

Bien, esto ha sido todo por hoy. Mañana a las cinco estaremos de nuevo con todos ustedes. ¡Hasta mañana!

UNIDAD 11. Primera parte

Pista 71. ¿Qué hemos aprendido este curso?

Sara: Los exámenes finales ya casi se han terminado y casi, casi estamos de vacaciones. ¿No estáis contentos?

Martín: Bueno..., la verdad es que ha habido cosas de este primer año de carrera que no me han gustado.

Laura: ¿Qué es lo que no te ha gustado?

Martín: Hemos tenido asignaturas bastante poco interesantes; por ejemplo, la de Estadística estaba completamente fuera de lugar.

Sara: Sí, en eso tienes razón. No somos estudiantes de Economía y ha sido una materia demasiado específica para nosotros; con cuatro nociones básicas creo que tendríamos suficiente.

Martín: Además, hemos tenido un par de profesores que mostraron una enorme falta de interés por su asignatura y los alumnos.

Laura: ¡Sí, sí! ¿Os acordáis cuando el señor Martínez perdió los exámenes y tuvimos que hacerlos de nuevo?

Sara: No me lo recuerdes, fue horrible. ¿Y de la señora Roca? Era incapaz de mirar a los estudiantes cuando hablaba, y... si le hacías una pregunta estaba al borde del desmayo.

Laura: Es cierto; también hemos tenido profesores muy buenos y asignaturas interesantes, en las que hemos aprendido mucho.

Martín: Sí, a mí me ha encantado la asignatura de competencias escritas; he aprendido muchas técnicas útiles a la hora de redactar un artículo.

Sara: Y Rosa, la profesora, era fantástica, joven con muchísima experiencia y motivación.

Martín: Bueno, la verdad es que tenéis razón; no todo ha ido tan mal y creo que, al final, hemos aprendido algo.

Pista 72. ¿Qué hiciste ayer?

Sara: ¡Uff! ¡Por fin se ha acabado el examen! Ayer pensé que me moría.

Martín: Sí, ayer también fue un día muy estresante para mí, odio las vísperas de examen. Me levanté a las seis y media de la mañana para estudiar un par de temas nuevos y poder repasar los anteriores.

Laura: Eso te pasa por dejarlo todo para el último momento. Pero el examen fue a las cinco de la tarde: ¿Qué hiciste hasta esa hora?

Martín: Estudié hasta las doce y después me di cuenta de que me faltaba leer un artículo que, además, no tenía fotocopiado.

Sara: Sí, esa parte la conozco... Martín me llamó por teléfono todo nervioso y me pidió si podía fotocopiar mi artículo; yo estaba estudiando y tampoco tenía mucho tiempo, pero quedamos a la una y media, nos tomamos un café rápido y fotocopiamos el artículo.

Martín: Así fue; a eso de las dos empecé a leer el maldito artículo que, además de aburrido, era larguísimo; acabé sobre las tres y media con un hambre de locos, pero... ¡no tenía nada en la nevera! Salí corriendo al supermercado para hacer un poco de compra y, de vuelta en casa, me preparé un plato de pasta, que, para ser sinceros, no estaba muy bueno.

Sara: Y...

Martín: Y nada, después de comer corrí a la facultad y llegué cinco minutos tarde al examen. El resto de la historia ya la conocéis.

Pista 73. ¿Cómo era tu vida antes?

Sara: Ahora que ya se ha acabado este año académico, recuerdo cómo era mi vida antes de empezar la universidad.

Laura: Y... ¿cómo era?

Sara: Bueno, la verdad es que era bastante aburrida, si la comparo con mi vida de universitaria. Vivía con mis padres, y eso ya trae consigo una serie de normas y reglas que no me gustaba mucho seguir.

Martín: ¿Qué hacías en un día normal, por ejemplo, los lunes?

Sara: Pues... los lunes me levantaba siempre a las ocho y, como siempre, me quedaba remoloneando; mi madre tenía que venir a sacarme de la cama. Desayunaba un café con leche y un par de galletas y salía pitando para el instituto.

Laura: ¿Cómo ibas al instituto?

Sara: Iba andando, aunque estaba un poco lejos; siempre me ha gustado caminar y, además, así me iba despejando por el camino.

Martín: ¿Cuántas horas de clase tenías por la mañana?

Sara: La clase empezaba a las nueve, siempre con Inglés; me acuerdo de que la profesora era una señora británica de unos 50 años y muy estricta con la puntualidad; yo tuve más de un problema con ella. A las doce teníamos una pausa de media hora y, después, dos horas más de clase.

Laura: ¿Ibas a comer a casa?

Sara: Sí, teníamos libre hasta las cuatro y media y yo me iba a casa a comer.

Martín: ¿A qué hora salíais del instituto por la tarde?

Sara: A las seis terminaban las clases y yo me iba directamente a casa, porque a mis padres no les gustaba que me quedara por ahí; no podía hacer nada, solamente estudiar y estudiar. ¡Me alegro mucho de ser universitaria!

Unidad 11. Segunda parte

Pista 74. ¿Qué han hecho Mercedes y Javier?

Mercedes. ¡Por fin es viernes! Esta semana ha sido de locos, me he levantado todos los días a las siete, porque en la universidad hemos tenido un congreso que empezaba a las ocho y media. Yo soy la organizadora del congreso y he estado desde las ocho y media de la mañana hasta las cinco de la tarde preocupándome de que todo saliese bien: el café, los micrófonos, los conferenciantes, las salas... ¡uf! El congreso ha salido bien y ha sido muy interesante, pero me alegro de que sea viernes y de que todo se haya terminado.

Javier. ¡He terminado, por fin! Hoy he tenido mi último examen de este año; los temas eran difíciles y muy amplios y por eso he estudiado muy duro durante toda la semana. Me he levantado casi todos los días a las siete y media y he estudiado hasta las dos. A veces he quedado con amigos por la tarde para repasar algunas preguntas juntos y charlar un rato, pero siempre me he acostado temprano para poder levantarme pronto al día siguiente. Cuando estoy estresado o nervioso, todo lo que como me sienta mal, por eso esta semana apenas he comido y creo que he perdido un par de kilos. Pero, bueno..., el examen me ha salido bien, creo que sacaré una buena nota y ahora... ¡a disfrutar del verano!

Pista 75. ¿Qué hizo Alejandro ayer?

Alejandro. Ayer me levanté a las nueve, me di una ducha rápida, desayuné y salí de casa a las nueve y media. Llegué a la oficina a las diez y me tomé un café con mi colega Fernando. A eso de las diez y media me puse a trabajar y arreglé un montón de asuntos pendientes. A las dos me fui a la reunión y a las cuatro llegué a casa para comer. Por la tarde llegué a la oficina a las seis y trabajé hasta las ocho. Al terminar, salí con unos amigos a tomarnos unas cañas y volví a casa a las diez.

Pista 76. ¿Qué hacía Eva cuando era pequeña?

Eva: Cuando era pequeña, todos los domingos eran una gran fiesta. Mi padre me levantaba temprano y me llevaba a desayunar al bar de la tía Pepa; siempre tomaba una gran taza de chocolate con churros, mientras mi padre leía el periódico. Después íbamos al parque y allí nos encontrábamos con Alfredo, el vecino del quinto, y su hijo Enrique, que era dos años mayor que yo. Jugaba con Enrique a todo tipo de cosas: al escondite, al avión, al fútbol... A eso de las dos volvíamos a casa y mamá ya tenía la comida en la mesa. Por la tarde, mientras mi madre fregaba, mi padre y yo limpiábamos la cocina; después nos íbamos los tres juntos a visitar a la abuela. Tengo un bonito recuerdo de los domingos de mi infancia.

UNIDAD 12. Primera parte

Pista 77. ¿Adónde vamos?

Sara: ¡Hola, chicos! Acabo de ver los resultados de las últimas asignaturas y... ¡he aprobado todo! Así que me merezco unas buenas vacaciones de verano. ¿Venís conmigo?

Laura: Yo también he aprobado todo. La verdad es que me apetece mucho irme con vosotros un par de semanas fuera de la ciudad.

Martín: A mí me han quedado dos asignaturas para septiembre, así que voy a tener que estudiar un poquito, pero... un par de semanas fuera de la facultad no me vendrán mal.

Sara: ¡Genial! ¿Adónde vamos? A mí me gustaría irme muy lejos..., ¡a Asia! Por ejemplo...

Martín: A mí también me encantaría, Sarita, pero es carísimo y yo estoy sin blanca.

Laura: Propongo irnos a algún país europeo; ¿qué os parece?

Sara: ¡Por mí vale! Yo ya he estado en Inglaterra y Francia y, aunque no me importaría volver, prefiero conocer lugares nuevos.

Martín: ¿Qué os parece Holanda? Siempre he soñado con visitar el conocido país de la tolerancia.

Laura: A mí me parece una buena idea; nunca he estado en Holanda y creo que tiene museos muy interesantes, que me gustaría ver.

Sara: ¡Me entusiasma la idea! Los quesos, tulipanes, drogas blandas, molinos... ¡vamos!

Martín: ¡Bien! Pues todos de acuerdo, este verano nos vamos a Holanda.

Pista 78. ¿Preparados? ¡Nos vamos!

Martín: ¿Ya habéis preparado la maleta?

Sara: ¿La maleta? Tú estás loco... ¡Si todavía no hemos comprado los billetes!

Laura: Creo que sería buena idea empezar con los preparativos para el viaje, de lo contrario seguro que ya no habrá plazas.

Sara: Sí, yo me encargo de reservar los billetes. Ayer, navegando por Internet, encontré una oferta muy buena con Iberia.

Martín: ¡Vale! Si Sara se encarga de comprar los billetes, Laura y yo nos podemos encargar de reservar el alojamiento. ¿Qué tipo de alojamiento preferís? A mí me encanta ir de *camping* y, además, es lo más barato.

Sara: A mí me da igual, por mí el *camping* está bien.

Laura: La verdad es que a mí lo del *camping* no me hace mucha gracia; siempre hay ruido, es sucio e incómodo... Yo prefiero dormir en una cama.

Sara: Podemos buscar una solución intermedia... ¿Por qué no vamos a un albergue juvenil?

Martín: Está bien, yo me encargo de buscarlo y reservar las habitaciones. ¿Por cuántas noches?

Sara: Yo creo que unas diez estaría bien, ¿no?

Laura: Sí, así tendremos tiempo de viajar un poco por todo el país.

Pista 79. ¡Ya llegamos!

Laura: La verdad es que Ámsterdam es una ciudad preciosa: los canales, los pequeños barrios y sus museos.

Martín: A mí lo que más me ha gustado hasta ahora ha sido el parque de Vondel; es enorme y con todos esos lagos y fuentes me parece un lugar perfecto para relajarse.

Sara: Estoy de acuerdo, pero lo que a mí me ha llamado más la atención ha sido que todo el mundo va en bicicleta; además, toda la ciudad está habilitada para ellas: carriles de bici, aparcamientos de bici... ¡Es increíble!

Laura: Sí, eso es realmente sorprendente. Sin embargo, yo me quedo con el museo Van Gogh; es impresionante la cantidad de obras maestras que se pueden ver en un espacio tan reducido.

Sara: Pero todavía nos queda una semana. ¿Qué planes tenéis?

Martín: Yo no me quiero ir sin antes visitar la casa de Anna Frank y el museo de la cerveza Heineken.

Sara: ¡Vale! Yo te acompaño, pero a mí también me gustaría ir de compras al mercado del norte.

Laura: ¿Qué es el mercado del norte?

Sara: Es un mercadillo que montan todos los sábados, donde venden ropa de segunda mano, música, libros y productos biológicos.

Laura: Suena bien... ¡Yo me apunto al mercado! Pero también quiero visitar el museo Rembrandt y la ciudad de La Haya.

Martín: ¿Nos dará tiempo a verlo todo?

UNIDAD 12. Segunda parte

Pista 80. Mis vacaciones preferidas

Entrevistador: ¿Cuáles son tus vacaciones preferidas?

Sofía: ¡Hola! Yo soy Sofía y a mí lo que me gusta cuando voy de vacaciones es relajarme. No entiendo a la gente que lo único que hace es apurarse y estresarse intentado visitar absolutamente todo: museos, catedrales, palacios, parques... Yo prefiero sentarme en la playa y tomar el sol, no preocuparme por nada, dormir mucho y comer bien. Mis vacaciones soñadas son en una isla perdida del Caribe.

Entrevistador: ¿Cuáles son tus vacaciones preferidas?

Javier: Soy Javier y me encanta la naturaleza. Me encanta ir de safari, ver paisajes completamente diferentes a los que estoy acostumbrado y rodearme de animales salvajes. Me apasiona estudiar los comportamientos de leones y tigres. Las vacaciones de mis sueños son en la sabana africana.

Entrevistador: ¿Cuáles son tus vacaciones preferidas?

Amparo: Me llamo Amparo y a mí lo que me gusta es la cultura. Estoy interesada en todo tipo de formas de arte: la música, la arquitectura, la pintura... Cuando voy de vacaciones, suelo ir a ciudades grandes, que están llenas de museos y auditorios y que tienen una arquitectura interesante. Me paso los días visitando y viendo cosas que, hasta ese momento, sólo había podido ver en los libros. Mis vacaciones ideales son en una ciudad como Viena.

Pista 81. Preparativos de vacaciones

Recepcionista: Hotel "La Macarena", buenos días. ¿En qué puedo ayudarle?

Sr. García: Buenos días, soy José García y quería reservar dos habitaciones en su hotel.

Recepcionista: Sí, cómo no, un momentito, por favor. ¿Señor García? Dígame, ¿qué tipo de habitaciones quiere?

Sr. García: Queremos una habitación doble y una individual, para mi hija.

Recepcionista: Perfecto, todas las habitaciones de nuestro hotel tienen baño individual y completo.

Sr. García: Muy bien.

Recepcionista: ¿Para qué fechas quieres usted reservar las habitaciones, señor García?

Sr. García: Del 10 al 17 de agosto, una semanita.

Recepcionista: Un momento que compruebo nuestra disponibilidad para estos días.

Recepcionista: Ningún problema. ¿Quieren ustedes sólo alojamiento, media pensión o pensión completa?

Sr. García: Nos gustaría simplemente poder desayunar en el hotel.

Recepcionista: Estupendo. El precio de la habitación doble, con dos desayunos, es de 65 euros por noche.

Sr. García: ¿Y el precio de la individual?

Recepcionista: La individual con desayuno cuesta 55 euros por noche.

Sr. García: Muy bien.

Recepcionista: ¿A nombre de quién hago la reserva?

Sr. García: A nombre de José Bernardino García Carmuega.

Recepcionista: Pues, señor García, ya está todo arreglado. Le esperamos a usted y a su familia el próximo día 10.

Sr. García: Muchas gracias.

Recepcionista: Gracias a usted y hasta pronto.

Pista 82. En la taquilla del museo

Taquillera: Hola, buenas tardes, ¿en qué puedo ayudarte?

Marta: Quería una entrada para el museo.

Taquillera: ¿Para ver la colección permanente o la exposición temporal? Una entrada combinada cuesta 15 euros.

Marta: ¿Y cuánto cuesta la entrada para ver sólo la colección permanente?

Taquillera: La entrada para la exposición permanente es de 10 euros.

Marta: ¿No tienen descuento para estudiantes?

Taquillera: Sí, una entrada combinada de estudiantes cuesta 6 euros.

Marta: ¡Genial! Entonces... quería una entrada combinada para estudiantes.

Taquillera: Aquí tienes, son 6 euros, por favor.

Marta: Muchas gracias.

Taquillera: De nada.

REPASO Y EVALUACIÓN. Bloque 3

Pista 83. La banda municipal

Estela: ¡Hola, Alberto! ¿Cómo estás?

Alberto: Bien, aunque un poco cansado.

Estela: Sí, el ensayo de esta semana ha sido muy duro, hemos tenido que aprender muchas canciones nuevas en muy poco tiempo.

Alberto: Sí, pero de todos modos me encanta tocar en la banda.

Estela: A mí también. Lo que más me gusta es la compenetración que tenemos cuando tocamos y... ¡lo contenta que se pone la gente en las fiestas cuando nos escucha!

Alberto: A mí una de las cosas que más me gusta es el instrumento que toco. Me encanta el sonido del clarinete; además, es muy fácil de aprender a tocar.

Estela: No creo que sea más fácil que el tambor.

Alberto: ¿Desde cuándo tocas el tambor?

Estela: Mi madre dice que desde siempre; me ha contado que a los tres años los Reyes Magos me trajeron un tambor y que, desde ese momento, no lo he soltado. Me encantan los sonidos graves y fuertes.

Alberto: ¿Te gustaría llegar a ser músico profesional?

Estela: En el futuro me encantaría poder tocar la batería en una banda de rock.

Alberto: Yo sueño con llegar a tocar en una gran orquesta sinfónica.

Pista 84. Noticiario de televisión

Presentadora: Hola, muy buenas noches y bienvenidos a la última edición del telediario. Antes de empezar, les ofrecemos un avance con los titulares más importantes del día de hoy.

Presentador: Hoy a las cinco de la tarde ha sido inaugurada por sus majestades los Reyes de España la nueva sala del museo del Prado, ante gran expectación y mucho público. Con un discurso sobre la importancia del arte en la sociedad, sus Majestades han abierto una nueva etapa para el museo.

Presentadora: Las lluvias torrenciales que han afectado a la comunidad gallega la pasada semana irán disminuyendo paulatinamente a lo largo de las próximas horas. El temporal, que azotó a esta comunidad con enormes lluvias y fuertes vientos, ha dejado tras de sí dos víctimas mortales y enormes daños materiales. Todo parece que volverá a la normalidad en las próximas horas.

Presentador: El deporte español está de luto. La leyenda del esquí español, Paquito Fernández Ochoa, ganador del oro olímpico en Sapporo 72, ha fallecido esta mañana en su casa, a los 56 años de edad, a consecuencia de un cáncer. El entierro tendrá lugar mañana 11 de noviembre en su pueblo natal, Cercedilla.

Pista 85. Fragmentos de una entrevista
Fragmento 1
Entrevistador: Raquel, ¿qué hiciste ayer?

Raquel: Pues mira, ayer me levanté muy temprano, a eso de las siete, me duché, me vestí y salí para el trabajo. De camino a la oficina me tomé un café en un bar cerca de mi casa y leí el periódico. Llegué al trabajo a las ocho y arreglé unos asuntos pendientes hasta las once. Tuve una reunión con los directivos del banco hasta las dos y media y después nos fuimos a comer a un restaurante todos juntos. Por la tarde arreglé un par de préstamos para unos clientes y después me fui a casa. A las nueve empecé a preparar la cena y a las diez llegó mi marido; cenamos, charlamos sobre nuestros días y alrededor de las doce nos acostamos.

Fragmento 2
Entrevistador: ¿Qué has hecho este mes?

Raquel: Este mes ha sido realmente intenso. Me han ascendido en el banco y me han hecho directora de sección. El ascenso me ha alegrado mucho; he trabajado muy duro por ello y, finalmente, mis méritos han sido reconocidos. En lo personal también me han pasado cosas extraordinarias: el doctor nos ha comunicado a mi marido y a mí que estoy embarazada. La noticia nos ha pillado por sorpresa a los dos, pero nos hemos alegrado mucho. La tercera y última cosa que me ha pasado este mes es que Juan y yo hemos comprado una casa: hasta ahora hemos vivido siempre en un pequeño apartamento, pero con la noticia de mi ascenso y la llegada del bebé hemos decidido hacer una inversión.

Fragmento 3
Entrevistador: Raquel, creo que tu vida ha cambiado. Cuéntanos: ¿cómo era tu vida cuando eras más joven?

Raquel: He estudiado Ciencias Económicas y Empresariales en la Universidad Complutense; era una chica muy aplicada y solía levantarme todos los días a eso de las siete y media para prepararme los temas; estudiaba toda la mañana y, por la tarde, acudía a las clases en la facultad. Siempre me ha gustado mucho el ambiente universitario y además conocí a mucha gente que todavía son amigos en la actualidad. Las clases terminaban a las ocho; después de la última, algunos compañeros y yo nos íbamos a tomar un café. Solía llegar a casa a la hora de cenar y, después de hablar un rato con mis compañeros de piso o de ver una película, me iba a la cama.

Pista 86. Planes de luna de miel
Tania: De viaje de luna de miel me encantaría ir a un lugar romántico y tranquilo, en el que podamos estar los dos juntos a solas.

Rodrigo: A mí también me gustaría ir a un sitio así. ¿Qué te parece si organizamos un viaje a algún país latinoamericano que no sea muy turístico?

Tania: Me parece muy buena idea, siempre he soñado con ir a América Latina.

Rodrigo: ¿Qué te parece Argentina? Podríamos visitar la capital, Buenos Aires, y luego adentrarnos en la Patagonia.

Tania: Sí, me gustaría mucho; además, podríamos aprender a bailar tango. ¡Qué bien! Pero... ¿por cuánto tiempo iríamos? Argentina está muy lejos y es muy grande, creo que necesitaríamos como mínimo un par de semanas de vacaciones.

Rodrigo: Tienes razón; lo mejor será coger tres semanas libres; una vez que estemos allí, me gustaría verlo todo.

Tania: Pues... ¡a Argentina!

Pista 87. En la agencia de viajes
Dependienta: Hola, buenos días, ¿en qué puedo ayudarles?

Tania: Nos gustaría ir de luna de miel a Argentina. ¿Tienen algún viaje organizado a este país?

Dependienta: Sí, por supuesto, tenemos un paquete a Argentina de tres semanas que incluye el billete de avión, el hotel con media pensión y diversas excursiones a los lugares más importantes.

Rodrigo: Perfecto, creo que algo así es lo que andamos buscando.

Dependienta: Miren, se trata de una oferta muy buena. El avión sale de Madrid y llega directamente a Buenos Aires, sin ningún tipo de escala. Una vez en Buenos Aires, alguien de nuestro hotel irá a recogerlos.

Tania: Y... ¿dónde nos alojaremos?

Dependienta: En el hotel Miramar. Se trata de un hotel de cuatro estrellas en el centro de Buenos Aires, con todo tipo de comodidades.

Rodrigo: ¿Qué excursiones incluye el viaje?

Dependienta: El viaje incluye visitas a los distintos museos y monumentos de la capital y una excursión de una semana a la Patagonia.

Tania: Creo que es definitivamente lo que estamos buscando. ¿Cuánto vale un viaje así?

Dependienta: El viaje, con todo lo que les acabo de mencionar incluido, son 2000 euros por persona.

Rodrigo: Es un poco caro pero... ¿A ti qué te parece, Tania?

Tania: Creo que deberíamos comprarlo, es nuestra luna de miel...

Rodrigo: Vale, entonces resérvenos dos plazas.

Dependienta: Muy bien. ¿Cuándo les gustaría marcharse?

Tania: A principios del mes de julio.

Dependienta: Vale, ¿a qué nombre hago la reserva?

Tania: Al de Tania López Carnoto.

Dependienta: Muy bien. ¿Quieren pagar ustedes con tarjeta o en efectivo?

Rodrigo: Con tarjeta.

Dependienta: Muchas gracias y disfruten del viaje.

Tania y Rodrigo: Adiós.